法華經者的話

上冊

卷頭語

今晨「有依定人」之思，若有似無的心光。心弦靜倚深水觀音五葉松風，閉目隨息淨心體，天音聞自心君，取捨何如乾坤方寸，主宰之，有依定人。

於洗心室訓練自己「有依定」，會知道，如何獨處，與自己相遇對話。獨自一人思惟修，獨自一人感知一呼一吸，獨自一人了然己心生滅起伏。在生命的每一個角落，照于一隅，這是生命勇敢的力量。沒有任何一個人，可以教導我們如何與自己相處，為何這麼理解呢？釋迦文佛說：「奇哉奇哉，一切眾生，皆有如來智慧德相，只因妄想執著，不能證得，一切智，自然智，無師智。」所以唯有自己「有依定」清楚自己到底處在何種狀態。

把自己放在〈華嚴經・淨行品〉所謂的「入無生智到無依處」上，人一旦起心動念在有所依裏，痛苦就會跟隨而來。若訓練心念有依定，如禮佛誦經持咒念佛數息，只單單依著在菩提心，能契入《摩訶止觀》念念止觀現前開佛知見，悟入中道實相，依開示悟入而成佛是一生當下可修證。昔日玄奘大師西域求法，秉持了誓死不退還一步的菩提願心，一生成就了人所不能成之事，寧死在向西莫生在向後。學佛是生生世世感恩之事，信受奉行方能深入經藏智慧如海。

有依定人，輾轉迴向一心，法華經祕要之藏，深入華嚴法界，法界月法界影智慧月，尋解，宿世因緣，親友繫其衣裏的無價寶珠，此珠為諸佛如來久護之頂上髻中明珠，賢聖軍法華經者所執持之明珠，與五陰煩惱共戰，而滅三毒出三界至一切智，深入禪定，定中諸佛摩頂受職；「唯佛與佛乃能究盡諸法實相」，「歡喜心聞思修，由聞故知，用知生見，唯佛知佛久遠之壽，唯佛見佛久證實理。」（T34, 344b）

今晨影蓮，光影間隙縫中，聞見彷彿若有似無的光，使荷花瓣瓣點在山色毫光，似輕巧地越過千山萬水，未吐的白菡萏，法界影，於一一毛孔，見無邊往昔事之因緣，生慈喜。善法因緣法喜法樂，自家知之。荷花朝夕之美，在於夕陽它呼喚了晨朝，處此人世間至大的寶藏，柔和忍辱善順，雖不易，善思念之。老子說：「希言自然。故飄風不終朝，驟雨不終日。孰為此者？天地。天地尚不能久，而況於人乎？」、「重爲輕根，靜爲躁君。是以聖人終日行不離輜重。」

體解文字般若已屬不易，更不用說一瞬間也好的動靜調柔，般若觀照，一剎那間般若觀照，真妄雙泯，之淨化。回望洗心室佛前，「有依

為蓮
己亥
蒲月
李蕭錕
畫

定」墨寶法語，那是一九九九年協助　恩師募集華梵教育資金，辦了一場活動結束後，導師恩賜三幅字「淨化，有依定，動靜調柔」。這三幅法語墨寶，如今是助吾於呼吸生死中，活現之良方，於改變生活習慣之當前。把自己往人群推更親切於人，其實不難，一切堪只一自笑，而慰之，如是而已，別無良方。

「道源不遠，性海非遙，但向己求，莫從他覓，覓即不得，得亦不真。」——慧思大師

於一一毛端處，盡未來劫修菩薩行；不著身，不著法，不著念，不著願，不著三昧，不著觀察，不著寂定，不著境界，不著教化調伏眾生，亦復不著入於法界。

何以故？菩薩作是念：『我應觀一切法界如幻，諸佛如影，菩薩行如夢，佛說法如響，一切世間如化，業報所持故；差別身如幻，行力所起故；一切眾生如心，種種雜染故；一切法如實際，不可變異故。』又作是念：『我當盡虛空遍法界，於十方國土中行菩薩行，念念明達，一切佛法正念現前，無所取著。』菩薩如是觀身無我，見佛無礙，為化眾生，演說諸法，令於佛法發生無量歡喜淨信，救護一切，心無疲厭。……。

我於眾生，無所適莫，無所冀望，乃至不求一縷一毫，及以一字讚美之言。盡未來劫，修菩薩行，未曾一念自為於己；但欲度脫一切眾生，令其清淨，永得出離。何以故？於眾生中為明導者，法應如是，不取不求；但為眾生修菩薩道，令其得至安隱彼岸，成阿耨多羅三藐三菩提。是名菩薩摩訶薩第八難得行。……

此菩薩知眾生種種想、種種欲、種種解、種種業報、種種善根，隨其所應，為現其身而調伏之；觀諸菩薩如幻、一切法如化、佛出世如影、一切世間如夢，得義身、文身無盡藏；正念自在，決定了知一切諸法；智慧最勝，入一切三昧真實相，住一性無二地。……了知一切世間境界；絕生死迴流，入智慧大海；為一切眾生護持三世諸佛正法，到一切佛法海實相源底。

——〈華嚴經．十行品〉（T10, 106b～108b）

（二〇一九年五月二十日，初夜）

上冊

目次

前言

寶鈴千萬億．風動出妙音

禪定為智慧生命之源，筆者以中國佛教思想史，之近世禪講教三宗兼修之融和思想的視角，來話說「法華經者的話」，《佛祖歷代通載》有謂：「禪乃佛之心，教乃佛之語，因佛語而見佛心。」（X76.512b～513c）懷則大師之《天台傳佛心印記》所言：「精究佛乘弘宣聖化，或於師門耳提面命見而知之，或於經疏研幾索隱聞而知之，見聞之間兩心相照，玄領默契名之為傳。我心本具不從他得名為不傳，心雖本具點示方知是為傳。此不傳之妙如印即心是名心印，知此者名妙解，行此者名妙行，證此者名妙果，如此則能事畢矣。……一家古今絕唱佛祖正傳。」

（T46.936bc）於經疏研幾索隱聞而知之，經文與見聞之間兩心相照，玄領默契，名之為傳，接心。以心印心，之妙解妙行，而證妙果；實是「唯佛與佛乃能究盡諸法實相」畢竟如來使行如來事之功，不遠矣。

「法華經者的話」，主要參考資料為，天台三大部及大師禪學止觀著作，定義「法華經者」：一為天台大師闡述法華思想者何，二為以止觀研心行持法，為流通法華經的如來使者，所行之如來事。定慧等持，教觀相資入諸法實相之涅槃妙心，實相義來自佛知見道之正法眼藏，法華經者，持戒清淨入法華三昧，明心見性，得之。慧遠大師：「至寂以不變為性，得性以體寂為宗。」

本書以「法華經者的話」為名，多屬這幾年來用零碎的時間，所寫臉書積集之文稿及昔日國際佛教教育研討會所發表的論文節要，上冊十篇中，五篇為近月所寫之文。感謝有鹿文化許悔之社長如同發了願心的

苦口婆心親切催稿的因緣，讓我如同萬里歸人，回首往日學問修行僧的日久功深，雲煙危崖艱困之道，今日看來喚醒歸心的思路歷程，鳥聲破曉，草覆泉聲細細為歷程指南。往日之心底語言，真心妄心互相參照著，提點著，卻是清瑩靜定之一泓淨水如斯互映互生光，光瀅水面清涼焯焯生輝，一念無明法性心，箇中消息，人間美在菩提淨明鏡，我如是欣喜依止，恩師曉雲導師的「春光照人活妙」法華圓頓旨的真實義。

整理這上下兩冊文字，我心中確已知道，不祇是如日記式而寫的臉書，自信此中自有我心底欲說的話語。《法華經》之脈絡，根植於中國人心中將近兩千年，無論在教育哲學文學藝術等，乃至生活的影響，均是中國文化幽微深遠的底蘊。天台法華思想，我們從古大德著作聖行中，領悟其中之旨意，令人深思後無來者！智者大師在歷史上被尊為「東土小釋迦」，如是之思緒起伏於己心中，不斷自我精進提點，從《華嚴經》、《法華經》、智者大師著作之漸進漸求，如〈化城喻品〉所謂，探尋生命中慧命之「寶所」。日夜，或時天猶未曙，靜坐前後，焚香禮懺誦經念佛，寂靜裏總是緬懷昔日聖者之行儀，唯藉華嚴法華思想，以照明自他之黯識，而起東日之朝霞。

《法華經者的話》，好幾篇文字，其實是感歎佛教學者及努力學佛教青年者為數不少。所知，感祇探求佛學知識，或為其自我謀生之工具、場面上的裝飾物，亦未必能盡行思惟佛陀根本精神，以感格人心而思遷善。法華宗旨要在教觀並弘，體用互顯，止觀禪行之凝心攝念，不能不說智者大師是天台教觀之拓開者，而且是中國佛教發展之樞機，《法華經》中，處處明示「唯佛與佛乃能究盡諸法實相」；顯四悉檀（世界悉檀、第一義悉檀、各各為人悉檀、對治悉檀）；悉檀，成就義，之詮義，顯現開示悟入佛知見之意旨。

本是拙於文辭的自己，以非為文而文者，實感中國佛教一千二百年來，自安史之亂七五五年中唐而至五代十國兩宋，中國佛教近世三宗兼修融和思想，邁進南宋元朝的「禪、教、律」、明朝「禪、講、教」、清代的「禪、講、律、教」時代的融合思想。中唐至五代北宋明朝時期，尚有風骨繼慧命之至人，中唐百丈懷海禪師、唐末五代永明延壽禪師《宗鏡錄》、明蕅益大師、憨山大師等祖師之行菩薩道思想行儀，使吾人有望啓後曙光，而能嚮往於斯世，乃及未來。雖然如此，嘗自幸於此時世中，尚能親近恩師　曉雲導師，意欲將法華華嚴之心源自我教育外，望能有一絲絲力量，藉著書寫文字，示人也悟己心源，尋求那法華經者之真如心跡，《華嚴經》有十種園林、十種菩提心，實是吾人本自有的身心世界之喻也。

然而世間多少知味者，法華思想教觀研心，其學浩瀚窮不可盡，吾祇杓一勺之味，利用日常零碎的時光，與大自然為功德友，身心所覺受的法華經啟悟，書寫流動在己心中的佛法禪訊，當下感悟心跡的禪思禪話，今集成《法華經者的話》上下冊，期置法流乾坤掌中，或許能為天台法華思想者，學佛之初基法要，如同曉月分光照，何處不相逢，自悟悟人、自觀觀人、如是如是。隨筆前言以明之，此前言寫於梅雨窗前，立秋末日刪增於洗心室研究桌燈下之深水觀音山中，昔日論文與六年來臉書重閱舊紙時，啊！如見親恩故人矣！

*

法華經者菩薩學處實是不易下手，修學過程全是一種指點功夫，如何喚起，我等齊醒，步步入《法華經者的話》。或有書寫不周之處，疏漏在所難免，希讀者見諒，唯望大德賢者與讀者指正，是所至盼。至於本書的內容，我綜觀佛法的精要在「禪」之一字；止觀研心，「唯佛與佛乃能究盡諸法實相」，可頓時照亮了恩師有謂生命三大迷茫，直入千峰萬峰去，人間謾說路行難。

無為畢竟無為也，畢竟無為那處安。玉軸曉開先佛偈，翠微晴掃古仙壇。從他鑄印復銷印，任爾彈冠與掛冠。直入千峰萬峰去，人間謾說路行難。

——栯堂禪師〈山居詩〉

憨山老人所謂：「清淨涵空寶鏡，春來水滿彭湖；照徹廬山面目，月如額上明珠。」〈分別功德品〉云：「寶鈴千萬億，風動出妙音。」法華

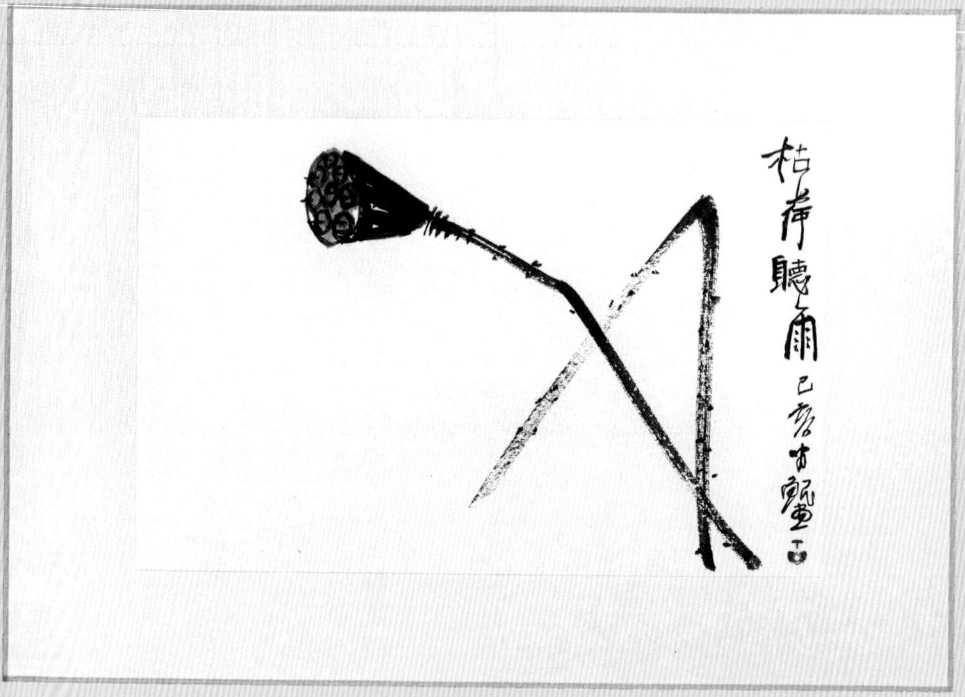
枯荷聽雨
己亥

經者祈願與人世間共度，慈悲柔和忍辱善順的歲月，「香風吹萎華，更雨新好者」。

二十二歲的我，恭聽恩師　曉雲導師，一九七七年宣講法華經時的覺受，細細參思，菩薩道原來如是如是成就。〈序品〉：「於諸佛所植眾德本，常為諸佛之所稱歎；以慈修身，善入佛慧；通達大智，到於彼岸；名稱普聞無量世界，能度無數百千眾生。」、「入無量義處三昧，身心不動。是時天雨曼陀羅華、摩訶曼陀羅華、曼殊沙華、摩訶曼殊沙華，而散佛上、及諸大眾。普佛世界，六種震動。」

隨著恩師法音宣講，出深妙聲能入其心，唱響佛子自覺心，好似摩訶曼陀羅華、曼殊沙華散於己之頭頂；啊！心香聞見了妙蓮華香。敬信、身心不動之禪智才是啊！細細參思！安禪佛道！此法藥色香美味，智慧聰達的良醫，明練了法住法位諸法實相、之權實二智，善治眾生三毒病，醒悟沉睡於我人心深底處的佛性菩薩性！〈法師品〉「此經開方便門示真實相」之深深義，細細味之，深入法味，〈信解品〉：「已後、心相體信，入出無難，然其所止，猶在本處。」因為無所住而生其心，之心、乃無心一念淨心；吾人不能忘形而覓影，法華經者修一心三觀，之慧光，能照，照盡了黯識昏迷，所以罄無不盡，心法一也；華果同時也；亦即了生脫死、涅槃寂靜也；亦如《法華文句》以觀心釋，疏義何謂如來使：如智照如理為事。經末「佛子作禮而去」，意味著法華經者依如教行如理；以教化眾生為事。智心觀境，境即真如，境來發智，智為如來所使所遣，行如來事，來實證，佛法是不廢棄世間事理而可成就之法爾道理。換言之「受持佛語作禮而去」在全經之機樞，之深深義，乃所化人從止觀智照，以啟悟、開悟、悟人；能化者以權實二智，以開示，是諸法中之第一義諦，實相也，是實是理，法華經者受持憶持，處此空假中三諦圓融義理的實相義內，不壞世間相，進而成就諸法中之第一義諦的實相義，往來於人世間，巧把塵勞為佛事；亦是「開方便門示真實相」之深深義。恩師曉雲導師百歲後之思惟以示二三子，曰：「人理事理如法佛理現前。」

細細參思「此經開方便門示真實相」、「受持佛語作禮而去」之深深義，來「了因、了緣、了法、了業」。

若從心佛眾生三無差別的視點，來論感應道交，來論一心善發菩提心，自可了因、了緣、了法、了業。「了因者」，了涅槃因，勤修八正道，了之，感應道交，法華經者感佛之為一大事因緣故，出現於世，為令眾生開示悟入佛知見之因由；總者，諸佛覺如實之相，成此實道出應於世，只令眾生得此實相。「了緣者」，佛之機宜也，佛應機，眾生感佛，默契默證不可思議境，觀之，法華經者有此機感佛故名為因；佛乘

機而應故名為緣。「了法者」，了法性空，善思念之，如來以乘如實之道，來成正覺；法華經者行佛行處，當可與知之「唯佛與佛乃能究盡諸法實相」，故學佛者，應體仰佛說法住法位、五種法師、四安樂行、六根清淨位、四法成就、三軌法，而不行凡夫生滅行，身心自安樂於法華經者不生不滅境。「了業者」，涅槃寂靜，「諸佛從本來常自寂滅相」常寂即是真滅，淨盡無染，普照眾生，法華經者，一心三觀、行五種法師行，豈是解苦而已，猶能自在之身業，了生死證涅槃，蒙乘如來威神之力之加持「開示悟入佛知見」。

法華經行者，如是功深力極，一心精進，如法修習，思惟修習功深四威儀精修熏習，了因了緣了法了業。自能味味這人生於世，對宇宙之茫然一大謎；對世界之現象一大謎（格物）；對解讀人生生存意義一大謎。人，生從何來，死從何去，須要心性柔善，心燈常明，念念止觀現前，照亮生死大事，乃法華經者，所參究的話頭，了因了緣了法了業，此乃吾學佛的基調，發願終其一生尋解一個不受惑的人，入無生智到無依處，絕對待的法華經者如來使。

《法華文句》中確立了，法師利生以慈悲為修行之基礎根本，因慈悲心而誓願受持，法華經者流通《妙法蓮華經》，人人心中有部《妙法蓮華經》，修持修行，受持佛語作禮而去信受奉行，敬信信受了，就會奉持奉行；信受了，歸入身口意三業，與己生命同時存在，方能名之為持，也才是真「受持」法華經者，修了歸體、受而歸體。身口意所發皆慈悲精進受持佛法，才是真實性的授職為「法華經者如來使者」。法華經者法師佛子謂行如來行（不生不滅法），不行凡夫行（生滅法）。

〈方便品〉：「唯佛與佛乃能究盡諸法實相。」《華嚴解》初住云：無染如虛空，清淨妙法身湛然應一切。智者大師用一念三千，一心三觀，三諦圓融，詮釋諸法實相，涅槃妙心；唯佛與佛乃能究盡實相法，是十法攝一切法，乃心法、佛法、眾生法，三法無差別中的佛法妙，心法所觀之境妙。智者大師架構了行持五種法師、三軌法、四安樂行，欲想令如來使者四法奉行（諸佛護念、植種德本、入正定聚、發救一切眾生之心）四法圓成，直下開示悟入佛之知見，正法眼藏。

橫豎一心明止觀者。……祇是無明一念因緣所生法。即空即假即中不思議三諦。一心三觀一切種智。佛眼等法耳。無生門既爾。諸餘橫門亦復如是。雖種種說祇一心三觀。故無橫無豎。但一心修止觀。……祇約無明一念心。此心具三諦。體達一觀此觀具三觀。……三諦具足祇在一心。……若論道理祇在一心。即空即假即中。如一剎那而有三相。三相不同生住滅異。一心三觀亦如是。生喻假有滅喻空無住喻非空非有。

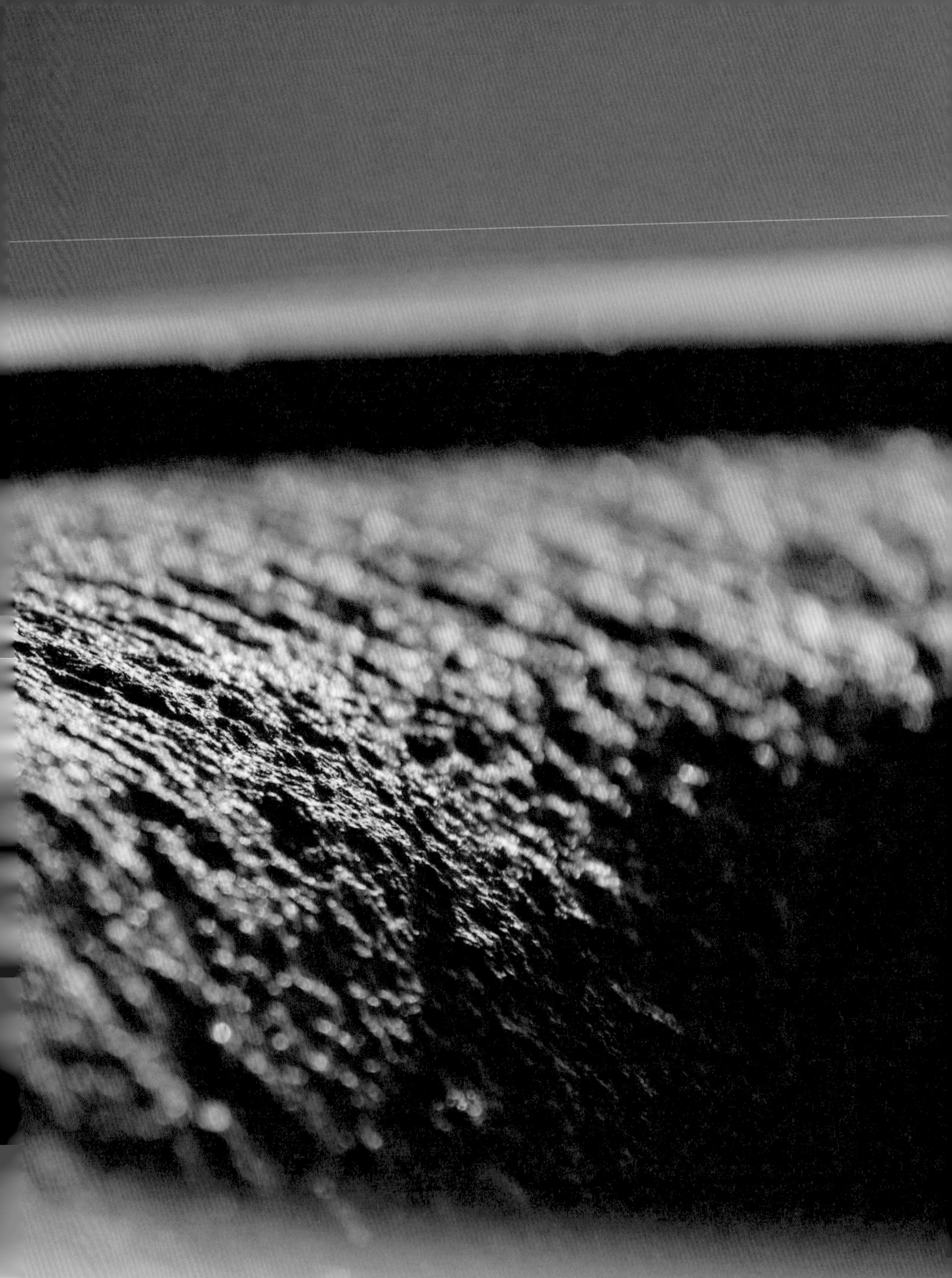

三諦不同而秖一念。如生住滅異秖一剎那。三觀三智三止三眼。例則可知。如是觀者。則是眾生開佛知見。言眾生者。貪恚癡心皆計有我我即眾生。我逐心起。心起三毒即名眾生。此心起時即空即假即中。隨心起念止觀具足。觀名佛知止名佛見。於念念中止觀現前。即是眾生開佛知見。此觀成就名初隨喜品。讀誦扶助此觀轉明。成第二品。如行而說資心轉明。成第三品。兼行六度功德轉深。成第四品。具行六度事理無減。成第五品。第五品轉入六根清淨。名相似位。故法華云。雖未得無漏而其意根清淨若此。從相似位進入銅輪。破無明得無生忍。四十二地諸位。

——《摩訶止觀》卷六

如是觀之，於如來則是一大事因緣顯矣，於眾生則是一生參學法華止觀，三大迷惑之事畢矣！法華經者如來使，乃是如來與眾生之間，接心、以心印心的橋樑。「受持佛語作禮而去」之深深義，即是也，法華經旨即是禪也。得此法華三昧，則三業不離如來使足下，舉足動步而常入定。筆者祈願舉一句妙法蓮華一地生，沾法喜法樂思惟修習，止觀研心，永用舟航；更祈願隨喜見聞，惟願諸佛，冥熏加被；見聞者願做如來使法華經者。《妙法蓮華經》，是直指世尊出世之一大事因緣，為教菩薩法、佛所護念之「經藏禪」，乃為如來使菩薩而暢佛本懷。〈法師品〉五種法師，藉以受持信受、明讀了義、背誦觀經，深入法華祕要經藏；〈安樂行品〉身口意誓願四安樂行禪法，定法持心，住持不動，與三軌法、六根清淨修證發相，一切不思議境界皆現禪定中，成就諸法如實相，《大品經》所謂：「諸法如實即是佛，離是之外，更無別佛。」心與正定相應，智慧開發圓照如湧泉，自是以後，信受奉行，凡有所作，如說修行，依經而行。

聽佛經垂語，每次恭讀佛經、古大德著述，總深深覺得，好語佛說盡，善言祖師已道矣！啊！唯己之融通「如說修行」；可謂究竟旨歸，真實行處。寫《法華經者的話》這些文字，也只祈能在根本上的問題，得解，若未，真是無知的浪費筆墨紙張，與他人的功夫。每每於中夜敬讀《妙法蓮華經》〈法師品〉、〈安樂行品〉。感慈悲能破天魔，柔和善順可破五陰魔，法華經者之忍辱慈悲，召感菩薩的慈悲心，學佛者，能寫文章演講，菩薩不會因此度化我們，菩薩不是依靠寫文章演講而成就菩薩道的，是「以慈修身，善入佛慧，通達大智，到於彼岸」，而成就法華經者的。

所以我們柔伏其心，方能與菩薩的慈悲心感應道交，因感應道交、論善發菩提心。凝心攝念止觀研心，惺惺寂寂是觀心的功夫，篤實平實的行五種法師行，照見五陰皆空，老實數息，平實中體見自性；受持讀誦，平凡中悟妙理。

再次感謝有鹿文化社長許悔之的邀稿，他因幾年前多次在臉書上看到我書寫有關法華經者如來使攝養行門的文字，也看見我有「法華經者」、「如來使」、「淨明鏡」的藏印，而如同發了願心，一直追問我「法華經者」與「如來使」之義為何，也一直用各種方式勸請我寫這本書，讓有緣人知道《法華經》所言者何，我說《法華經》、《華嚴經》於我來說，天地寥落，宇宙寬廓，中有佛光垂語；法語之光如明珠燦燦，徹照心跡。「心君」之真也者，無伴無侶，無涯無際，無處無所，「法華經者」卻能為己心、諸法之宗，智者大師所謂一念三千、三千一念，一念心者應物而號，隨物而造，常住常存，不生不老，《妙法蓮華經》之所以有「久遠實成佛」之說的妙智、妙境、妙行、妙位、三法妙；實是理合萬德，事雖無窮，理終一道。「舉一心為宗，照萬法為鏡」。

＊

法華經功德，於「如來神力品」明示：說此經功德，猶不能盡。「以要言之，如來一切所有之法、如來一切自在神力、如來一切祕要之藏、如來一切甚深之事，皆於此經宣示顯說。是故汝等於如來滅後，應一心受持、讀誦、解說、書寫、如說修行。所在國土，若有受持、讀誦、解說、書寫、如說修行，若經卷所住之處，若於園中、若於林中、若於樹下、若於僧坊、若白衣舍、若在殿堂、若山谷曠野，是中皆應起塔供養。所以者何？當知是處，即是道場，諸佛於此得阿耨多羅三藐三菩提，諸佛於此轉于法輪，諸佛於此而般涅槃。」

回想四十五年前，十九歲的我，善法因緣的機遇，得親教澤於恩師 曉雲導師，開講了天台學的《小止觀》、《釋禪波羅蜜》、《六妙門》、《教觀綱宗》、《妙法蓮華經》等。六年間啟我天台學教觀相彰，早晚於般若禪苑止觀禪功的訓練，對於潛心止觀，更得知《妙法蓮華經》「法華經者」、「經藏禪」之深厚法益，《法華玄義》說「但觀己心」最易下手，所謂究明心地，則明月光含萬象空。

曉公導師《妙法蓮華經》前後宣講五年，前三年的〈序品〉至〈安樂行品〉的法喜法樂，使初學者，甘露見灌，善發勤求天台教觀與止觀法要，似有得其法要，情存妙法，轉化心力，對四弘誓願，產生篤實好學的精神。於日後日本求學期間，對天台三大部尤其《摩訶止觀》五略十廣的研修，有著莫大的助益，探究《摩訶止觀》「己心中所行門」的實踐方法中尋解，二十五方便、破法遍、止觀研心，體解調心攝意、明心見性（見真如自性，了生死大事）、見性成佛之法華經者的歸趣。

於中，乃因學佛的心，被一種莫名的感動力量所凝攝、所安住。〈序品〉：「以慈修身，善入佛慧，通達大智，到於彼岸。」〈方便品〉的

「佛自住大乘，如其所得法。定慧力莊嚴，以此度眾生。自證無上道，大乘平等法……故佛於十方，而獨無所畏。我以相嚴身，光明照世間，無量眾所尊，為說實相印。」〈法師品〉的法華經者；如來使，如來所遣行如來事之五種法師、三軌法。〈安樂行品〉及四安樂行內容，以及後六品的法華經者六支法將，《心經》的照見五蘊皆空……真實不虛能除一切苦的字眼等等的「唯佛與佛乃能究盡諸法實相、是法住法位……導師方便說」，統攝了我的宗教情操，直至今日深信乃至生生世世，發願發心為修學法華經者，亦是對智者大師，此位如來使如來所遣行如來事的，法華經者的景仰。這一切的一切都是承佛威神力的功德。

「照見五蘊皆空」，一言以蔽之是開佛知見，是〈法師功德品〉的六根清淨位。「以慈修身，善入佛慧，通達大智，到於彼岸。」實在就是三軌法的法華成佛。「佛自住大乘，如其所得法。定慧力莊嚴，以此度眾生。」即是以三法妙，成就三無漏學，大乘是真性軌，定即資成軌，慧即觀照軌。「自證無上道，大乘平等法……故佛於十方，而獨無所畏。我以相嚴身，光明照世間，無量眾所尊，為說實相印。」更是法華經者平等獨立無畏成就佛道的精神。

「世世受持，如是經典。億億萬劫，至不可議，時乃得聞，是法華經。億億萬劫，至不可議，諸佛世尊，時說是經。是故行者，於佛滅後，聞如是經，勿生疑惑，應當一心，廣說此經，世世值佛，疾成佛道。」

——〈常不輕菩薩品〉

*

自謂：自從一九七七年始，見聞「法華經者如來使」的迹門十妙之境智行位三法妙，此生之入佛知見，漸見方寸中有一面「菩提淨明鏡」的妙意根。雪竇禪師所謂：「悟心容易息心難，息得心緣處處閒。」悟心為慧，息心為道；息心深深義也。

憶持著，於一九七四年第一次的冬季禪七，即發願依止佛陀亦堅決是念。參修諦觀現前一念心，念念止觀現前，則習氣不見，植眾善根德本，悟入「佛之知見道」的諸法實相。日日參究「唯佛與佛乃能究盡諸法實相」、「天上天下唯我獨尊」為心靈養分。

唯佛與佛乃能究盡諸法實相，即是契入「法住法界法如法爾」佛法妙，亦是事造三千，歸入於法性性德之理具三千。得諸法實相之境妙，乃法華觀法之主旨宏綱，教義之淵府，與「諸佛兩足尊，知法常無性，佛種從緣起，是故說一乘。是法住法位，世間相常住，於道場知已，導師方便說。」而權實相資，境智冥一，悟入佛之知見道。

「佛之知見」，吾視之為「正法眼藏」，正法眼藏乃由無塵智照的如來藏所顯發之佛眼法眼慧眼，是慧命的境地。「藏」這個字，一直是歡喜我心，包含萬德莊嚴的境界，含藏著一切一切的可能性，「佛種從緣起」總能新鮮心境，助我善巧發《摩訶止觀》所言之菩提心。鮮活的心境，與諸佛祕要之藏，它總是有無盡無邊的微妙深深意。其實正法眼藏，有直指三德祕藏的核心樞紐的功果。

「諸法實相」，乃「涅槃妙心：真心妙心是心的本性」另一層次的理解，涅槃妙心，是從佛知見的正法眼藏來的，然後由「妙心」直驅至「實相無相的法華妙境——唯佛與佛乃能究盡諸法實相」，雖文字不同，挹流尋源，亦不越乎法華經者之禪定。啊！挹流尋源聞香討根。

法華經者的如來事，是體解法華禪，行持本跡二門禪之實相無相的生命慧命境界。是一種佛教總持法的機宜，重點是《法華經》所謂的妙心，以涅槃妙心轉得正法眼藏，而得迹門十妙之實相無相的境妙智妙行妙位妙三法妙。《摩訶止觀》二十五方便的樞紐，「若能調凡夫三事變為聖人三法。色為發戒之由。息為入定之門。心為生慧之因。此戒能捨惡趣凡鄙之身。成辦聖人六度滿足法身。此息能變散動惡覺。即成禪悅法喜因禪發慧。聖人以之為命。此心即能改生死心為菩提心真常聖識。始此三法合成聖胎。始從初心終至後心。唯此三法不得相離。」法華經者，善調三事令託聖胎；一心三觀調三事，以微妙善心為菩提心；所謂戒定慧轉化凡夫身息心三事為聖人知見。

三界無別法，唯是一心作。

想想世尊拈花微笑，傳給迦葉尊者的妙心妙法妙境，尊者的微笑是「轉識成智，明心見性」的妙行妙心為契機，「藏」著三法妙三軌法之禪機境界，我想，它不出三個禪者的生命況味：「正法眼藏、涅槃妙心、實相

無相妙境」。欲「轉識成智」，須先清淨因地，發菩提心（法華禪華嚴禪），修四種三昧，歸入如來祕要之藏（法華經佛之知見道）。智者大師的《摩訶止觀》，方便行中第一「持戒清淨」為其要義，是要法華經者如來使，了知「順流十心」的過失，而運「逆流十心」以對治之，方能懺悔三世重障，順利入法華三昧的菩提心（懺悔、數息、禪定、智慧、慈悲、菩提心，這是一個圓的思惟模式之行持）。

一九八五年至一九九六年在日本修學期間，對於「法華經者如來使」行持法華禪的研究，發現廬山慧遠大師《法性論》的「至極以不變為性，得性以體極為宗」這二句話，與天台的禪法是相通相融貫的。在天台三大部中，智者大師與章安大師，將法性論的這兩句話，發揮到深深義的境界，參究研究裏，我發現解讀到，「至極之性」就是實相無相的佛性，是法住法位的思想；「得性之宗」就是將法華經者如來使的菩薩三軌法三法妙精神，發揮到至極的境界。《楞伽經》的注釋中，以四悉檀名為「宗」，隋代淨遠寺慧遠大師在《大乘義章》中詮釋，對法辨宗，對教辨宗，宗歸於四悉檀。

因之，法華經者修法華禪，要體會「境智行位」四十法之妙，也就是迹門十妙的前四妙，己心中所行門、止觀明靜之妙。

佛「因禪說教」，智者大師「以觀釋經」，亦是無所得（不生不滅）；「觀」，體性本靜寂，「止」，心念亦轉化為「淨明鏡」之無相空，所謂性靜故「寂」；無相故「空」。《摩訶止觀》：「法性寂然名為止，寂而常照名為觀；寂而常照，照而常寂」，由是可知，止觀是寂照的異名，是法華禪是菩薩禪，應該都是契入佛心的本體，佛心的本體是寂滅相，是至極之性，以這個妙心悟入諸法，則必將契入實相無相義。智者大師在《摩訶止觀》亦說：若能了達慧思大師所謂的四運心，即入一相無相。一

念自淨其意，得諸佛法要。慧思大師也在《大乘止觀》說：「修止觀者必以心性為所依止」。（X55, 590c）

悲智是慧動，空寂是禪定；遵循「六妙門」數息隨息法入定門，有空方能有定，得知有智慧才能顯發慈悲心，而善巧發心、發菩提淨妙之心。所以定慧二輪總持，「受持佛語作禮而去」的菩提淨明鏡，是法華經者如來使的生命精華。參究出家所謂何務，日日於般若禪苑趺坐，止觀明靜，植種菩薩深恩的護念，依如來家務，法華經者，志力止觀研心，研究佛遺教，跟隨　曉公恩師、母親師父的腳步，以發揚佛教教育、文化、慈善的大家當大事業，於萬分之一。

自此宗於天台三大部五小部，天台以法華為宗骨，以般若為觀法，日夜思惟，世尊的拈花微笑，世尊的呼吸法，智者大師的慧命觀，法華經者如來使四弘誓願的人間教育學，心把捉的問題，無意識中的自我意識問題，佛陀的根本智慧慈悲菩提心等等問題之自我叩問，總是在靜坐中自然湧現，自然思惟修之。

此生學佛，終究終歸奉行圓成於「法華經者」的四要法，「諸佛護念，植種德本，入正定聚，發救一切眾生之心」，與華嚴經普賢菩薩十大願之「廣修供養、恆順眾生」的道理之修行。

此之四要法與三軌法、三身、三德互為應對關係，天台的植種德本，《法華文句》言：以般若照見五蘊皆空（能證之智）為照明，實相真如（所證之理）為德本，是故以此善根功德之積集為德本善本，開示悟入佛知見。

這樣的植種德本，培植六度萬行，必披如來忍辱衣、坐如來法空座的觀行，則法身安，得法身德，證般若德，是「示」佛知見；法華經者發菩提心、法師度生以忍辱為基，而得吾人本有之心性——法身德，為諸佛護念，是「開」佛知見；「入」佛知見，是入正定聚，必披如來忍辱衣得見一切法空，以為正定，坐法空座，成般若德；發救一切眾生之心，是「悟」佛知見，悟般若空慧發菩提心，則入如來大慈悲室，得解脫德。坐法空座，般若導行，而開顯慈悲心，自然入如來的大慈悲室之止行離過。

*

其實《法華經者的話》一書，用散文或敘述故事的方式寫，容易下筆，但我直覺有很多人或許能寫。然而若從止觀行門攝養，或學術思想專書的切入點，是難以描繪「自覺知之內自證」法的「妙法蓮華一地生」，要不落言詮、不掉入書堆裏來書寫，都是不容易寫得究竟完整的一本書，天台法華的教觀與止觀是佛法、佛道、佛教的整體觀之綱領要旨。《修華嚴奧旨妄盡還源觀》T45・640a：「攝境歸心真空觀。謂三界所有法，唯是一心造，心外更無一法可得，故曰歸心。謂一切分別但由自心，曾無心外境，能與心為緣。何以故？由心不起、外境本空。」

所以細想了一下，理出了一個方法，《法華經者的話》，請讀者細讀前言與上冊，若能契入其中意趣，則下冊只不過是注腳的文字，如讀前言與上冊契入不得，則可先透過下冊的文字，細細味入，自可對《法華經者的話》有入眼處、著眼處。

《法華經者的話》，在學術的探究上得知，智者大師尋解法華經脈絡，探究出中國禪觀之發展，乃由般若思想所演化開展之止觀法門，即佛心宗源法華禪之正法。佛陀捨皇宮上山修行，乃至菩提樹下成等正覺，徹悟宇宙人生真諦、證涅槃果所教示之三藏十二部經典之旨要，在五陰之轉與不轉義，般若妙慧情存妙法，之照與不照義，故云「經藏禪」。在佛教教理史，信仰史展開中，大體上均不離般若禪法華禪之詮釋與實證。此是人生開拓的大前題，亦菩薩心之顯發，終歸於般若心中心「唯佛與佛乃能究盡諸法實相」的探尋。

智者大師所證之法華三昧，乃直指世尊菩提樹下所證悟之「自覺知之內自證」法，祖意西來，廬山、天台，乃至華嚴、律學、法相等諸宗，無不左右逢源融匯於斯，而以天台止觀法華禪為樞機，為禪旨知津，源流滾滾，此乃智者大師以法華為宗骨，探本尋源之獨到處。唐代圭峰禪師總分禪為五類，以「如來清淨禪」為第五最上乘禪，亦以達摩禪為依止為善導，主張達摩門下展轉相傳者，皆源於此如來清淨禪。智者大師統合一切禪法，以「般若禪法華禪」為依歸為善導。參究「禪」者眾所皆知，達摩祖師由南天竺來，唯傳大乘一心之法，即以《楞伽經》印眾生心。《楞伽經》云：「佛語心為宗，無門為法門。」永明禪師在《宗鏡錄》中，釋此為「達本性空更無一法、性自是門、性無有相、亦無有門」。（T48, 418b）

智者大師則歸此法門為「止觀研心法華禪」，斯乃鑑於，禪為佛心、教為佛語，稟教修禪。然禪之法門因時代之遷流，展轉相傳實是浩博而源遠。故智者大師以「止觀研心法華禪」道出「佛心妙境」之源，點出群萌迷悟之源（如來藏藏識）與佛陀三德祕藏（法身、般若、解脫）的匯通處，乃菩薩萬行之源，即法華經者教觀相資入實相門之行。天台法華法脈通古今，究知頓悟資於漸修，得知眾生心源、諸佛心源，萬法之源，源於法華經者菩薩心地，情存妙法之妙意根法門。華梵大學創辦人 曉雲導師乃天台第四十五代傳人，其般若堂前碑銘云：「般若佛母，禪行般若母，教誡禪行母，般若主照，照五蘊空，悟無所得，如來藏性清瑩，體大用大，大而無大，絕待超宗……。」道出禪定一行是世尊一生之根本法門、一切神妙威力事，此之禪燈皆淵源於斯。此乃旨歸於世尊之禪定、禪悟，由三昧而起，道出宇宙萬法之本源。

期望《法華經者的話》一書，也是實中之權，權中之實。本書所導引出的「法華經者之四法成就、三軌法」乃權實不二，或許可為佛教學術教學的參考，更是行門攝養的方向指標，得入諸佛甚深無量之智慧門，契悟「唯佛與佛乃能究盡諸法實相」的探尋之明燈。如同〈序品〉，欲明人人本有之妙蓮華藏，而放光現端，急欲將法華經，渾全托出，意在顯露十界十如本迹權實之理。清淨三業，法華經者為眾生屋舍，為救護，為歸趣，為慧炬明燈，為無上善導。

一・一念即無念，法華經者，五陰之轉與不轉義

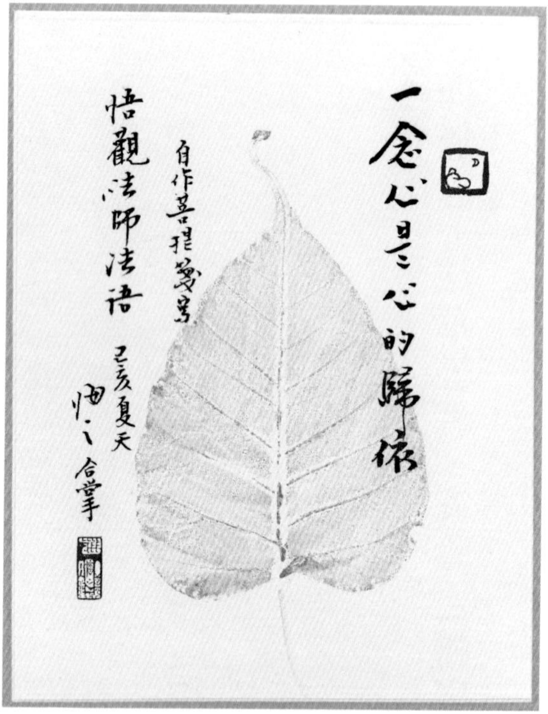
一念心是心的歸依
自作菩提葉寫
悟觀法師法語
己亥夏天
合掌

「以慈修身、善入佛慧」、「佛自住大乘，如其所得法，定慧力莊嚴，以此度眾生。自證無上道，大乘平等法，……故佛於十方，而獨無所畏，我以相嚴身，光明照世間，無量眾所尊，為說實相印。」《法華經》之〈序品〉、〈方便品〉，告訴我們說，人是尊貴的，因為人能成就平等獨立無畏的精神，來莊嚴人世間一切的人事物環境。

人，如何成就法華經者，平等獨立無畏的精神呢，一念即無念，一念心是心的歸依。

法華經者其心任運自住真如，泯然明淨入欲界定，善巧發菩提心，於此定後，心依真如法，心泯然入定與如如之菩薩性相應，如法持心心定不動，法華經者當下泯然不見身息心三法異相，調柔凡夫身息心三事，轉化為聖人戒定慧三法；色身為發戒之由，息為入定之門，心為生慧之因。即成禪悅法喜因禪發慧，法華經者以之為命。此心即能轉化生死心為菩提心真常聖識，始此三法合成聖胎，所謂水邊林下保養聖胎。始從初心終至後心，唯此三法三事不得相離，而證成法華三昧行如來事。「云何修習行者。從初安心即觀於息色心三事俱無分別。觀三事者必須先觀息道。云何觀息。謂攝心靜坐調和氣息。一心諦觀息想遍身出入。若慧心明利。即覺息入無積聚出無分散。來無所經由去無所履涉。雖復明覺息入出遍身。如空中風性無所有。是則略說觀息如心相。次觀色如行者。既知息依於身離身無息。即應諦觀身色如此色本自不有。皆是先世妄想因緣招感。今世四大造色圍虛空故。假名為身。一心諦觀頭等六分三十六物及四大四微一一非身。四微四大亦各非實尚不自有。何能生六分之身三十六物無身色可得。爾時心無分別即達色如。次觀心如行者。當知由有心故。則有身色去來動轉。若無此心誰分別色。色因誰生。諦觀此心藉緣而有。生滅迅速不見住處亦無相貌。但有名字。名字亦空即達心如行者。若不得三性別異名為如心。復次行者若觀息時。既不得息即達色心空寂。何以故。三法不相離故。色心亦爾。若不得色心三事。即不得一切法。所以者何。由此三事和合。能生一切陰入界眾苦煩惱。善惡行業往來五道流轉不息。若了三事無生則一切諸法本來空寂。是則略說修習如心之相。」（《釋禪波羅蜜》卷八 T46, 529bc）而成就法華經者，平等獨立無畏的精神——一念即無念，一念心是心的歸依。止觀研心，三事調和思惟修，則情存妙法之三軌法，而四法成就。

智者大師的十境十乘觀法，在《摩訶止觀》卷五：「開止觀為十。一陰界入、二煩惱、三病患、四業相、五魔事、六禪定、七諸見、八增上慢、九二乘、十菩薩。此十境通能覆障。陰在初者二義。一現前。二依經……行人受身誰不陰入，重擔現前是故初觀。……十種境始自凡夫正報終至聖人方便。陰入一境常自現前。若發不發恆得為觀。餘九境發

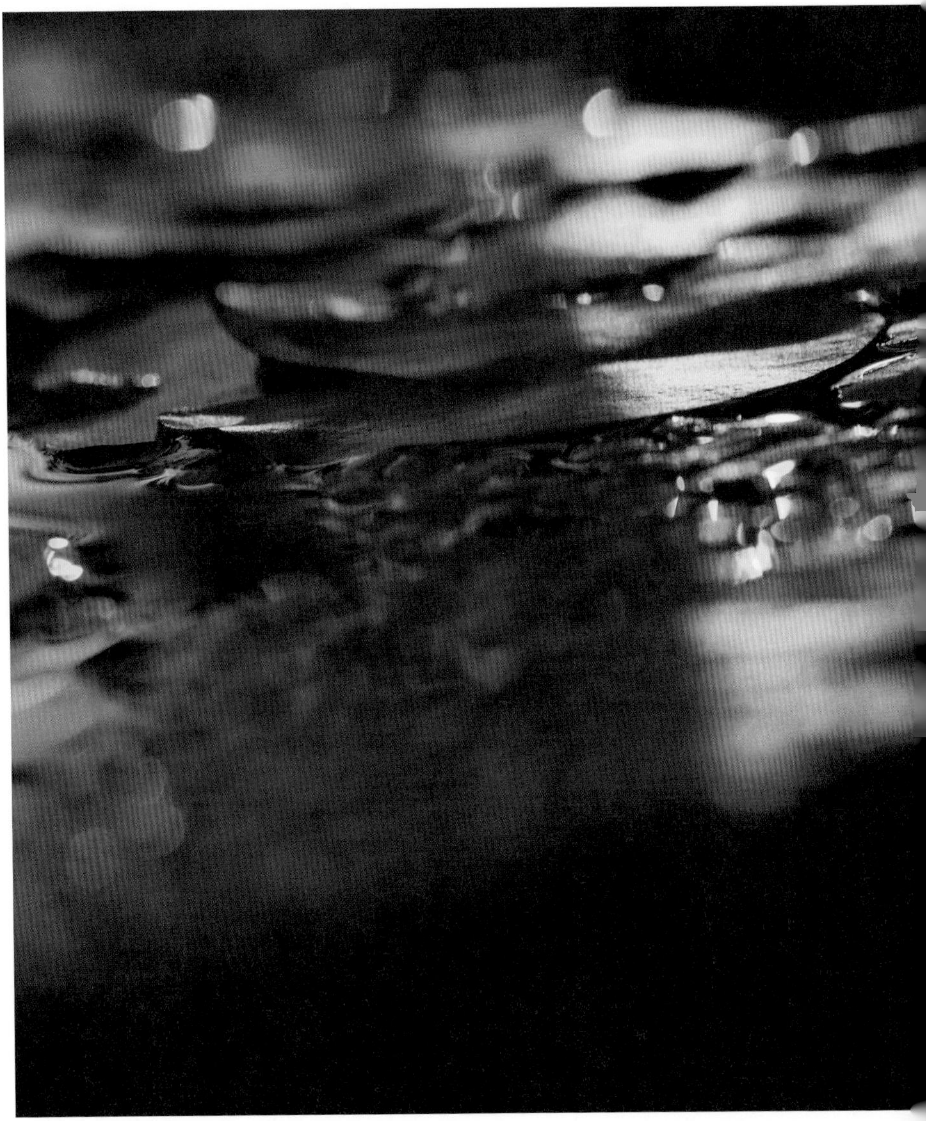

可為觀。不發何所觀。」(《法華玄義》卷三卷八、《摩訶止觀》卷五至十)

由是觀之，智者大師認為我們無論何時皆有一念。一念心，於人生活之珍貴，止觀研心者，五陰之轉與不轉義。智者大師在《摩訶止觀》卷五(T46．54a)觀陰入界境中，明示生活中染濁之境不現前，即是一念正觀現前，日常性的事務，則知應為不應為，所以說一念為正念是無念，非雜念。行者果能達至「一念無念」，即是明心見性，得正法眼藏之佛知見；就是法華三昧，得涅槃妙心之諸法實相。因此一念現前，即正念，一念即主人翁在之佛心，不失不散。如一念淨心，觀知己心之苦，也了知眾生之苦，而起之悲憫眾生之心，此一念淨觀，能徧照三千大千世界。所以修禪觀的法華經者，內觀照己之眾生，外照見眾生之苦而興起慈悲之情，《法華經》所謂「情存妙法甘露見灌」，菩薩悲願度化有情。法華經者所修的一念三千實相，收放自如，即是菩薩的悲願，此之菩提心之萌發，就是一念三千的寫照。

法華經中的諸法實相，十法界中之一界與九界之真心妄心互相對照著、參照著，是互融互攝的鏡像。「為令眾生開示悟入佛之知見」，當知若眾生無佛知見，何所論開。以是之故，當知佛之知見，蘊在眾生心也。基於此，智者大師才有一念三千的觀念法，一念三千，是從一心三觀開拓，融通融貫至法華禪之妙觀。依文字般若，觀照般若，實相般若來說：「一念三千」屬實相觀，而實安住於三諦圓融，亦即是，從文字而觀照達至實相。這一念三千中道實相觀，乃是靜與淨之無上甚深法，無上甚深即一念之觀的境，無雜念之念，名之為無念之境地，因之，一念即無念，即是淨的妙法華，平等大慧之體。

觀之，這無念之妙，即在一念，所以一念是萬法歸於一，這在智者大師的三大部解釋得很清楚。「一」如稱念「南無大慈大悲觀世音菩薩」

花果同時
己亥之蒲月

是正念、不是雜念。須知，因為我們的八識田中一直是活動著，活動著則不能無物，故此「一念現前」、「念念止觀現前，開佛知見」，為智者大師三大部所最重視，之精要「唯佛與佛乃能究盡諸法實相」。吾人不論何時，皆要一念現前，一念等於一個明鏡，胸懸明鏡照達三千。若一念不現前時，等於什麼都不清楚，等於是雜念，妄念紛飛，所以現前一念如明鏡裏湛然澄寂的一念心，是鮮活的佛心。

智者大師以般若為觀法，開出空、假、中三觀，不可思議一心三觀的觀心法門，在用功上，即要主人翁在，是一念無念現前，誰知，能知無念者，即此湛寂一念心也。此之一念心，念念止觀現前，是開拓菩提心的處所。藉由四種三昧之緣，調直一心三觀，以心為所觀之境，規矩初心，讓行者心境到達大智彼岸，《摩訶止觀》卷五上：「開止觀為十。一陰界入。二煩惱。三病患。四業相。五魔事。六禪定。七諸見。八增上慢。九二乘。十菩薩。……觀心具十法門，一觀不可思議境，二起慈悲心，三巧安止觀，四破法遍，五識通塞，六修道品，七對治助開，八知次位，九能安忍，十無法愛。」第一之觀不可思議境，意味介爾陰妄之一念，觀之，即空即假即中之不思議境也。佛心與眾生心皆為法華經者己心之三諦不思議之妙境，因為佛法太高，諸法甚廣，於己心且簡約者，只此陰妄之念。故心佛眾生三無差別，取己心這陰妄之念，為所觀之境也。就此進一步可知有兩重之能觀所觀；所觀者能觀之智也，不思議境者，所觀之境也，此觀智與妙境為相望之能所，而此二者望於陰妄之心，則皆為能觀，故對所觀之妄心，又有一重之能所，是以觀此妄心為不思議境也。觀成妄滅，則住湛寂一念，此之一念無念，觀一切法（五陰十二入十八界）是不可思議境之「實心繫實境，實緣次第生，實實迭相注，自然入實理。釋曰：心若繫境，境必繫心，心境相繫名為實緣。復由後心，心心相續，心心相繫名迭相注。即是心注於境境注於境，境注於心，心心境境念念相注如是次第剎那無間。自然從於觀行相似以入分證。故云入實。」（《止觀義例》）

其實，一念正觀現前，就是觀念的湛然澄寂，湛寂覺觀，是淨化三業所顯的自覺觀照。自知自明之自覺，善巧發慈悲心菩提心，所以能覺他的苦及無奈，進而覺他之菩薩精神，則存活於法華經者之四安樂行。

天台一心三觀、三諦圓融之妙觀，即體即用，即垢即淨。雖「一念三千」，而「三千實相」之一念淨心，這就是妙觀現前，無以名狀之，而曰第一義諦，所以天台以妙法蓮華經為宗骨，以《大智度論》之四悉檀釋經，以四悉檀詮顯妙法蓮華之佛心佛語、涅槃妙心。以一心三觀三諦圓融，論貫融貫「開示悟入佛知見道」之正法眼藏。智者大師的《法華文句》之四意消文，在〈觀心釋〉中明示：「觀於心性三諦之理，不可思議，此觀明淨為開。觀境雖不可思議，而能分別空假中心宛如觀照名示。空假中心即三而一，即一而三名悟。空假中心非空假中，而齊照空假中名入是為一心三觀，而分開示悟入之殊也。」《法華論貫》亦如是讚說妙法蓮華，之開示悟入佛知見。

〈普賢菩薩勸發品〉勸發法華經者自行化他之門，佛陀總以四法應答之：「一者為諸佛護念、二者植眾德本、三者入正定聚、四者發救一切眾生之心。」行者當知觀照，即是開顯佛知見之聖心。諸佛護念者，若佛知見開，則般若照明，是植眾德本，亦是入正定聚，此之不取不捨，亦是發救眾生心。如是領解，則諸佛護念者，是「開」佛知見；植眾德本者，是「示」佛知見；發救一切眾生之心，是「悟」佛知見；入正定聚，是「入」佛知見。迹門之宗旨之妙體內此四收矣。又〈法師品〉轉至〈安樂行品〉、達至〈普賢菩薩勸發品〉的流通之方。妙達於方之真實祕要之藏，唯三軌唯四法成就，如是領解觀之：發救一切眾生之心，是入如來大慈悲室；入正定聚，諸佛護念，是著如來忍辱衣；植眾德本，是坐如來法空之座。此是法華經者如來使宏揚妙法華之要。也可以理解，發救一切眾生心，是誓願安樂行；入正定聚，是意安樂行；植眾德本，是口安樂行；諸佛護念，是身安樂行。法華經者如來使觀照當下即是，則知〈普賢菩薩勸發品〉的四法成就，即〈安樂行品〉的身口意誓願之四安樂也。

而智者大師，成就如上，〈法師品〉、〈安樂行品〉、〈普賢菩薩勸發品〉，如來使之觀照；法華經者之一心三觀。可理解一念三千可說是天台禪觀之極致，這是要經過止觀研心，才得以領解妙法華其中菩薩精神之深義玄微。蕅益智旭大師說明智者大師的十乘觀法，所經過之十種心境觀照的歷程，終於「不思議境」；具性德、修德、化他等三義的內容，

即詮釋了天台思想之大義。蕅益大師尤以「性德」之「不思議境」，明了，當體之，一念本具三千，三千即一念的理性本具之觀法；則「性德」境自顯。而「修德」、「可思議境」，更須認明三千法中離法性與無明所生的觀想法，始能契合不思議境。在「化他」不思議境中，對自己行持的活計仍吃緊於推檢三千諸法，令其不偏，要能順應眾生的根性，則方便化度，仍立不思議境中而妙運「三千理具」與「三千事造」，之恆順眾生。故無論一念三千、三千實相之如何微妙的觀法的「起修」；但是最終至根底，必須要明白對「性德」的根本及「修德」的方法，而終於為「化他」功德的「起行」普賢十大願，四法成就。

故源於性具染淨善惡互顯之一念三千事理圓融，乃資於不離三千妙境；且能於觀境成熟後之「離修成念」、「法住法位」；即是出定後，仍觀念常住真心也，此乃菩薩度生，之喜悅，之真實義，之實踐工夫，自然會生起「無作之四弘誓願」；悲愍自己無始劫來之沉迷，更能慈愍他人溺於無明之無力無法自拔；法華經者於慈悲心願中，層層推開悲願，承當度生的如來使之事業，此乃依於修觀而發之法華經者的妙境，是法華三軌法、四安樂行、四要法的成就。由是可知，天台之一念心，三千性相，實乃佛心，所涵融之十法界。此之佛境不捨不著，唯以一大事因緣之開示悟入，而有出現於世之出世本懷；而有法華經者如來使三軌法五種法師之己心中所行門。

所謂入如來室，著如來衣，坐如來座。入如來室，是大慈悲，若就同體，即「法身德」也；若被眾生，即是「解脫德」；能令眾生會於同體，即是「般若德」；如來衣者，若就所覆，即法身也，若就能覆嚴身，即寂滅慈忍也，若就和光利物，即解脫也；如來座者，若就能坐，即般若也，若就所坐，即法身也，身座冥稱，即解脫也。蕅益大師如是領解智者大師對《法華經》的體解。由是可知，佛陀至經末第二十八品，舉四法成就顯發法華經者的菩薩精神，冠罩妙法蓮華一經，豈不善巧方便之妙哉也，可知二十五方便之妙用也。方寸乾坤，人人心中有部《妙法蓮華經》。若能止觀研心自照，皆因實修啓律己自覺之為功，有賴般若禪行法華經者善識法華經旨，如說修行。〈孟子．離婁章句下〉：「君子深造之以道，欲其自得之也。自得之，則居之安；居之安，則資之深；資之深，則取之左右逢其原。故君子欲其自得之也。」

二・法華經者如理如智化眾生為行如來事

思如法者，如智，宣於如理，即是如來所使也。如來覺了一切眾生皆有佛性，「覺」是一件事，為令眾生行如來事，也是一件事。

《妙法蓮華經》是如來為教菩薩法，佛所護念之經藏禪，所說一切法即是禪法，為令眾生開示悟入佛之知見、正法眼藏，故以「智」立體，而有〈序品〉文殊師利菩薩發起敬信，而開示佛知見；以「行」成德，〈普賢菩薩勸發品〉成就四法，而明悟入佛知見。迹門之要，盡收在普賢菩薩勸發成就四法；一者諸佛護念，是開佛知見；二者植種德本，是示佛知見；三者發救一切眾生之心，是悟佛知見；四者入正定聚，是入佛知見。

其所謂成就四法，「唯佛與佛乃能究盡諸法實相」之涅槃妙心，乃起五種法師、三軌法、四安樂行、六根清淨之妙心行，是真悟入法華經者。一、諸佛護念，由法華經者發菩提心，以大慈悲為室，披著如來忍辱衣，行五種法師行，而得吾人本有之心性的法身佛護念；二、植種德本，亦需要披著忍辱衣，培植一心三觀六度萬行，坐如來法空座來滿菩提願；三、入正定聚，亦坐如來法空座，即得三昧，方得成就忍辱，行如來之「佛自住大乘，如其所得法，定慧力莊嚴，以此度眾生。」；四、發救一切眾生之心，既已定聚法空，則必定入如來大慈悲室，現眾生所喜見身，所謂修大悲色身常護眾生，是法華經者功深力極，真精進度生供養如來之所致也，眾生亦空也，乃無生法忍之四威儀，精修熏習一心三觀也。

「入正定聚」是本門流通分之根本，「發救一切眾生之心」是迹門流通分之要，因之，能行四法必得法華禪「唯佛與佛乃能究盡諸法實相」，開示悟入佛之知見道。

如是如是領解，如智所說，說於如理之法華三昧行，今時法華經者秉此如教，觀心修於如智，宣於如理，即是如來所使也。如來所遣，必定行於如來事，如來事者何！覺照自度於法華禪，成就四法的同時而後，以如來之如實智，照見法華本迹二門之一如理，為如來使法華經者所行之「事」。

法華經者如何，如理如智化眾生為事而行之，亦是一件事，乃一如智一如理，度化眾生為事，其智心「觀境」，境即真如，境來發智，智為如來所使也；「觀智」從人事之如理如法中來，此之「如來」者，佛理現前，涅槃寂滅也。則行如來事者，即是經歷一切法，無不契合真如實性，此之真如即是如來使，行如來之「事」也。

〈藥草喻品〉，先雲後雨，知病識藥，知藥味以治病，可說是凡聖相望，菩薩道為其橋梁，如來所遣行如來事，是法華經者行如來事。法華成佛，成於聞思修戒定慧辨識藥草，除病授記受職，得至華果同時了生脫死成就佛道。聞而後能思，必須得要運用一種連貫思想的組織，而加之以觀心法，來修三諦圓融。如來使者心取境，所取之境必須聞法為因，聞了之後，生起敬信誠意，而必能觀通妙法，自然思之以修如來性分之事。性分者，處處有本體在，主人翁在，借用止觀研心的功夫修之，宛如良馬見鞭影而飛揚。「三千一念寒潭碧」，是法華經者的如來藏中不許有識，寒潭深則清澈，而不寬故無浪，無浪清澈透明則見底之沙石，是一種定靜的功夫，法華禪由是而修成。「一念不生全體現」，是全性成修，全修在性，心無垢任起念，所起之念亦是清淨心也。以清淨心行如來事，為功德友。

〈藥草喻品〉：「其所說法，皆到一切智地，如來觀知一切諸法之所歸趣……一雲所雨，稱其種性，而得生長，華果敷實，雖一地所生，一雨所潤，而諸草木，各有差別。」從此段經文了知，法華經者的觀法，平常是修「安養心法，淨化心識」。雨普潤大地，但是沙石難入，泥土易入，大地（心地），為何以地能生藥草，因能吸收雨潤（佛法）而生藥草。這是法華脈絡核心之一，自然得知，欲知楞嚴七處徵心的詳情，須知般若智照，得「開」佛知見，於佛則開示開顯一佛乘門，使聞者法華經者敬信，此心為佛是如來，決了聲聞法，決信此心是佛，是如來，是真如，此亦是行如來事的觀智，因為如來者真如也，歷一切法，無不真如，因之，真如即如來所行之事也。

如來使行五種法師、三軌法、四安樂行、六支法將，之修持，即是法華經者流通妙法蓮華經。〈方便品〉中不難得知，如來因慈悲精神而有施設教化，而此妙法之演化，緣於佛慧力之善巧方便，即善巧方便之本來意義，乃佛智佛慧之心源所湧現出。其湧現之「機」乃世尊之「慈悲」為教菩薩法之「緣」，教菩薩如何入「甚深無量難解難入之智慧門」「唯佛與佛乃能究盡諸法實相」。天台大師鑑此開出「教觀相資入實相行」之無生門止觀，為覺醒眾生心中所內藏之佛性，引導行者修菩薩法之一佛乘門（祕要之藏乃入一切種智之門）。由法華經者中，點出一切種智皆由般若波羅蜜出，由觀照法華之一佛乘中得之（祕要之藏）。欲悟諸佛祕要佛性之藏，唯柔和忍辱慈悲心而發菩提心者能行能得。故真佛子是由佛口而悟佛心禪，從法化生得禪悅法喜之味，味味一味也。

（二〇一九年六月九日）

大方廣佛華

三・耽味止觀研心之法

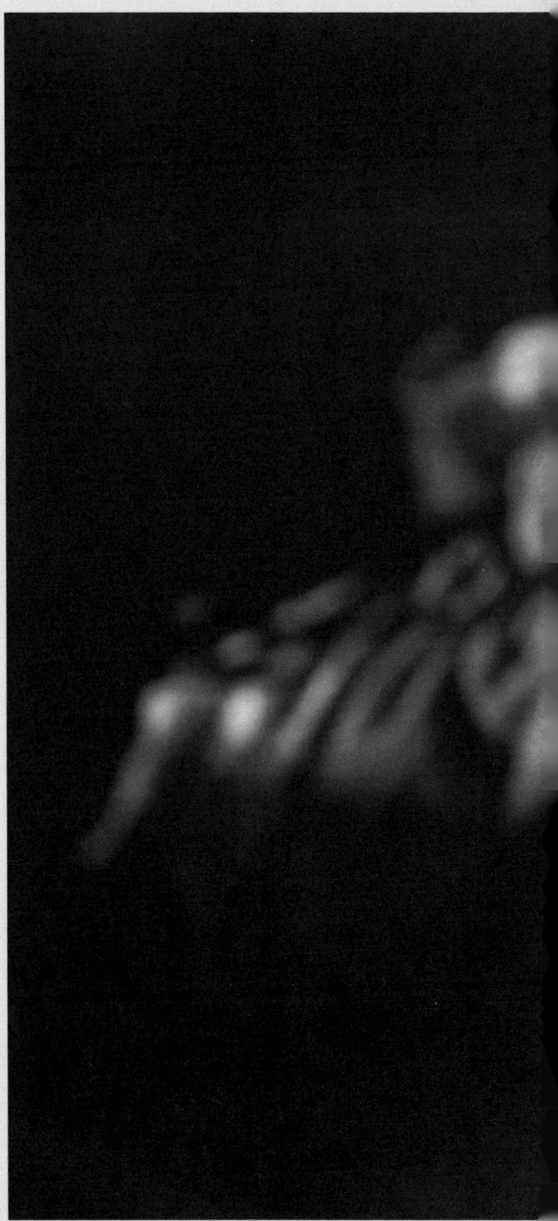

《妙法蓮華經》之旨，智者大師以《摩訶止觀》視為「純圓獨妙」之法，是平等大慧之妙法，是止觀研心之行門，是己心所行門之依據點。〈序品〉：「佛說此經已，結跏趺坐、入於無量義處三昧。」於三昧之佛眼等觀齊物，顯佛法於不平等中，建立究竟之平等，以平等之理性，轉不平等事相。如是「妙法」即「平等」，名異而旨同。平等、獨立、無畏之思想，在《妙法蓮華經》二十八品裏，點出無畏精神成就妙法之平等大慧。〈方便品〉：「定慧力莊嚴，以此度眾生。自證無上道，大乘平等法。……故佛於十方，而獨無所畏。我以相嚴身，光明照世間，無量眾所尊，為說實相印。舍利弗當知，我本立誓願，欲令一切眾，如我等無異，如我昔所願，今者已滿足，化一切眾生，皆令入佛道。」實相印，即妙法，妙法即平等。妙法者，指心不可思議。平等者，指物不可分別。「心與物」者，相即而相離，相離亦相即，如手掌一而二，二而一，所謂不可思議；乃不容思議，亦思議不來之原由故。於「心」無思量處；於「口」無語言處，「以離心無物，離物無心故」，是而：悟吾心，與物境，皆無生滅也。可知，宇宙一切本然，迷者自迷，悟者亦可得而自悟之。

簡言之，迷悟之隔，惟「心、物」之通塞而已，智者大師的《摩訶止觀》所謂「識通塞得失」，破一切惑之前，為塞、為失；遍破一切惑之後，為通、為得，如是諸法之通塞得失乃層層相對轉深。行者至此方可明道修道、助道得位、安於位不貪法愛之執。（T46. 86a）如是觀之，心物皆不能唯，唯心，則成人世孤立；唯物，則成機械世界。因知「空」不得，「有」不成，「唯」不可。

《法華玄義》釋經題於玄妙者，妙在融通止觀之門，開示悟入佛之知見、正法眼藏。至此，生命之無窮無盡，心願之無邊無量，乃妙法平等之妙運融通，運行平等大慧，生生息息，息息生生，宇宙如是，生命亦如是。諸法實相，涅槃妙心者，山河大地，行雲流水，華開華落，春去夏來，秋盡寒至，如是互融，如斯互映，人生於大自然，生死齊平菩提淨明鏡，由少至壯至老死，一切平等，一切如斯自然，誰不能焉；然而是諸法空相，不生不滅不垢不淨不增不減。福源石屋清珙禪師：「道人一種平懷處，月在青天影在波。」是實相義。平懷觀世界，世界平等觀，年年華開，華落年年。有事心波影，無風水靜時，水無靜與動，風湧浪生移。

可知吾人觀待人事物，一向執迷事物以為心境所生，而不醒悟事相搖動所生起之幻象，實非佛性存有生滅之動相。吾人於不平等之事物眾相中，能悟現有平等一如之自性，則依此湛然寂照之自性慧命，為日常生活之鑑照，平等心量則現矣。人世間之事物百態有動變，而吾人心視真常，是無動無變，佛陀夜睹明星而悟道，乃能悟見大，是見性之絕待義，而非物象之對待義。若能以超倫絕待之平等性智，照徹不齊之大小方圓參差不齊之現象，則不齊而等觀，等觀平等；是心佛眾生三無差別法；是為純圓獨妙，平等大慧等觀諸法實相義。因〈方便品〉平等而得獨立無畏精神，乃法華經行者法身慧命之融貫於生命之中，善用其心，活用六根，不為六識轉，「但自無心於萬物，何妨萬物常圍繞」，禪是心能主宰，作得己心主人，遇見主人翁。佛法醫治吾人「執心為心」，使心不執於法，進一步「不執之心」亦不執，是為平等心、明心義。

出三界是明心法的事，勢必淨盡身口意三業，〈華嚴經．淨行品〉中，文殊師利菩薩舉了一百四十一種善用其心的生活行儀，菩薩成就身、口、意業，能得一切勝妙功德；於佛正法，心無罣礙；去、來、今佛所轉法輪，能隨順轉；不捨眾生，明達實相；然後可與眾生為救，為歸趣，為炬，為明燈，為導，為無上善導。因之淨化三業，一念現前，是生命中的一件大事。明心者，平等心也，見性者，了無可執之性。萬古長空，總是一朝風月，而一朝風月，亦祇在萬古長空之空間裏，不即亦不離，雖不離亦不即，如是如如。玄心仁厚者得之，乃法華妙觀之門，亦即心經所明示之，無所得之義。《般若心經》：「以無所得故，菩提薩埵。」

天空一鏡垂，法界月曾照幾多人，智慧月笑說大地皆遷客，「幾多隨幻影，都是去來人」。法界影，諦視靜夜思之一切，默然自若。日間聲高著力，此刻心中無所謂靜與不靜，不知是個什麼心境，望著久經歲月不生滅、耽玄坐忘的菩薩，人間佛，人間菩薩。人間有菩薩，流水有妙響，融匯淨心譜出微言禪訊，心境轉依心靈開拓，智者大師所謂絕待止觀，一大事因緣絕待生死止觀，乃《法華經》所開示之悟入佛知見道之一大事因緣果報。解此，人我善惡是非不上心頭，此乃般若禪境，順乎天性佛菩薩性的本質。

「三界所有，唯是一心。」莊子所謂：「至人之用心若鏡，不將不迎，應而不藏，故能勝物而不傷。」《華嚴經》的「善用其心」之難，蠲除執著，以慧心觀照意念、情緒，體解念頭（念的前頭是心）之未念時、是一顆實際的真心存活其間。早年恩師　曉雲導師請唐君毅教授來為蓮園學生演講時，我印象深刻的一段話，人類處在普遍的生命感情上，容易受環境影響，而導致無法控制自己的想法情緒，儒家與佛家的安身立命之道相通，但是佛法講得更徹底，佛教是治心之學。人與人之間的相處距離，體驗慈悲智慧的本心，將之視為理所當然的存在，一種生命藝術創作的實踐，使悲智教化落實而呈現於人與人之間的互動關係裏，它環環相扣與生命慧命的互換機制上。孟子所謂：「仁，人之安宅也；義，人之正路也。」智者大師說善巧安心於法性、菩提心。

閱讀經文時我們會覺受到，佛陀的行誼極爲平常，釋迦文佛於日常中，完成那不平常的人格，這是佛法的平實處。「佛」是「人」而成就的，佛典教示有緣人，在「人」的行爲心思上、去決了成就自我教育。平常心是道；佛人。當年那一段在日本十一年歲月底精進。修行持，是生命中一門很深好深的學問，心性之學，義理之學，中國人圓的思惟模式。

四十年前懵懵懂懂恭聽　曉雲導師宣講《妙法蓮華經》，三十四年前研讀天台三大部《摩訶止觀》等。了知生死事大，生死事小；菩薩道能知，宇宙萬物何所從來，又何所從去。一切端的在「己心中所行門」，爾今爾後精進思惟修。天台妙觀，一念三千是智者大師的「性具善惡」思想，是將佛法涵蓋到心、佛、眾生三無差別的教說，經藏禪是大師的教觀與止觀的依據點，經中祕要之藏的妙義即是禪，此之禪法是實踐於觀心門的行持。

一切有情皆有佛菩薩性。

三千「理具」是觀法，三千「事造」是行法。

學佛是學佛的人生鮮活內容，生活體驗所反影於心靈的自覺與生機，觸景照心，其義了了。日日面對幽微寥廓的法華經經文，菩薩幕天席地之襟懷，培沃佛子生命意境之思忱，靜中思惟，而掬起心深底處難以描繪的觸動，轉化尋常慣性的五種感官活動。「意到境真」，使「佛法真理、意境」振盪心魄心魂，常新只是一如，佛法之祕要之藏，契之，佛子意可伸、情可抒，是朋友伴侶、近而是自己即是己心。

（二〇一八年四月十二日，後夜孤鐘散曙）

四・如來使是法華經者之佛人的願力

「如來使」是法華經者之佛人的願力，明達實相；然後可與眾生為救，為歸趣，為慧炬明燈，為無上善導。行者善導智慧之光，讓慈悲心精進邁進「四弘誓願」，眾生無邊誓願度之「悲心」，煩惱無盡誓願斷之「慧力」，法門無量誓願學之「精進」，佛道無上誓願成之「植眾德本實踐行」。《釋禪波羅蜜》明示：審知禪定，能使法華經行者滿四弘誓願，菩薩行人善識祕要之藏，善識禪中境智，而發心正求「菩提淨妙」之法。生死齊平菩提淨明鏡。

佛菩提心乃從大悲佛種而起發，可知菩提心者，即是行者心中，以中道正觀，以諸法實相，悲憫教化一切有緣人，如是法華經者，因「菩提淨妙」心生，而得名為「如來使菩薩」。亦是行者深入禪定，善巧機宜明見照見有緣人根性，啟大悲大智教化之行儀，成就四弘誓願，然而，終歸需是思惟修之功，以籌量之念，專注於止觀研心。研心者善識「一念無明法性心」，歌羅邏（攬父母身分，以為己有）「命（息、呼吸）、暖、識」之為無明，吾人之一念心生，皆從因緣生，因體知緣起無自性，善能觀念，根塵能所念念不住，意根是因，法塵是緣，所起之心是所生法，自能善觀因緣生法，緣起法之由，了然善識，性具染淨善惡，一念無明法性心，三諦圓融之實相法。小止觀六妙門之數之隨是要義，數息之法繫心在息，得「息相」則恩師所謂：「調息安心，離相淨心，實相妙心。」止觀還淨都不說，端的全神在隨息。

止觀研心，心中也畢竟了吾師早年之言。習得「禪波羅蜜」之一身功夫，為滿四弘誓願，直言之出家所為何事，乃早年入門苦思力索之提點。一日為母親師父之病痛，於佛前發了四弘誓願、菩提心願，直教妄想也靜默，參究工夫教工夫之六妙門，乃吾師之得力處。定名靜默，定中靜慮，思惟修，專心研習籌量之心。

智者大師《釋禪波羅蜜》修證章以「六妙門」詮釋，「心入定」之菩薩事究竟，「菩薩之法，正以度生為事」，寂然閑居，以大悲心為眾生、遍修一切事行滿足（摩訶止觀正修行之一的觀陰入界境之四破法遍），如是菩薩，因禪究竟眾事，禪於菩薩心中乃慈悲之處所（數息—禪定—智慧—慈悲—菩提心，此乃「圓」的思惟模式，始終之點、一如）。修習「定」之行者，若能善巧方便，攝錄六妙門，如是心自易定，於未到地定心中，必有持身法起，如物持身，於覺心、自然明淨；如是心與定相應，定法持心，任運不動，忽然湛心。湛心（意慮恬然凝靜）者、不思善不思惡，即是菩薩靜慮眾惡；靜默眾善；究竟度生之事（所作皆辦、具諸佛法）。如是之六妙門功夫練就者，是法華經者如來使。

一數息，以細念之心，攝心對息（攝心在數），從一至十，令心勿不散。二隨息，覺息微微，置數隨於息，任運出入（覺息長短遍身入出，心息任運相依）。三止息，心欲靜、捨隨，凝心、止住心（息諸緣慮，凝寂其心，身心泯然入定）。四觀息，若闇忽，即便、靜照色息心（觀微細出入息相，如空中風，心眼開明，徹見身內三十六物，心生悲喜，得四念處）。五還息，若忽浮動，即便捨觀，歸數息隨息止。六淨息，心不馳蕩，凝神寂慮。忽然，耽耽耽味自忽然，定法持心，任運自在；身安息調心明靜。然相攝六妙門，止觀還淨都不說端的全神在「數隨」，自是「淨」之凝神，心同法性；乃菩薩了息，息念，深心了了分明一至十之數。菩薩之性具，三十二應身出入自如，如是行者胸懸寶鏡照乾坤，以六妙門一念三千自轉法輪。參究學佛者，學我佛之悲智，用之於初中後善，「初」則培養菩薩性之成長，「中」則妙用妙行菩薩性，「後」乃圓滿眾事成就佛性。

（二〇一八年三月二十四日，中夜）

五・華果同時之蓮華喻妙法

世間相即出世法，法華經者，不壞世間相，成就實相道理。

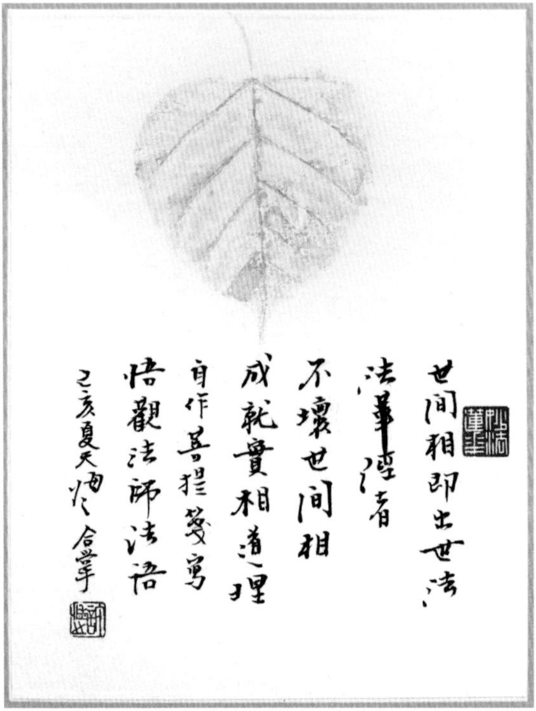
世間相即出世法
法華經者
不壞世間相
成就實相道理
自作菩提箋寫
悟觀法師法語
己亥夏天
合掌

〈方便品〉：「諸佛兩足尊，知法常無性，佛種從緣起，是故說一乘。是法住法位，世間相常住，於道場知已，導師方便說。」

恩師　曉雲導師依此八句偈頌，云「人理事理如法佛理現前」能淨曉雲百歲後之思惟以示二三子。智者大師依此四十個字，展開三千世間具空假中之一心三觀、三諦圓融的思想，是《妙法蓮華經》之大體，能開示之絕妙。《法華玄義》指出，「境」即此而事理俱融，「智」發此故無緣，「行」起此故無作，「位」歷此故相攝等。智者大師身息心道場，悟旨玄微，體證《妙法蓮華經》之開示悟入佛知見，了解法華經教理及修行法華經觀法，《法華文句》以觀釋經，由觀照自己心行，而明了法華經中甚深義趣，從迹門探尋至本門，了知法華宗旨之禪觀。法華經者己心中所行門的精華在於止觀研心，為開示悟入佛知見之本旨，契入經中如理之玄義，即是法華觀心法，法華實相行。其總攝宗義要領為「開解立行」出三觀三德三諦之妙境，以修攝心法為「宗」，以學貫法華為「教」，為整體佛學思想精神之思緒之交織，建構一代佛法；開解教相，立行觀心。

《妙法蓮華經》七卷二十八品靈文，明示「所化」示教利喜之實相，是迹門〈序品〉至〈安樂行品〉一半；窮盡「能化」化用之事實，是本門後十四品。蕅益大師《法華論貫》之解惑開慧，直指一念心是心的歸依。萬法歸一，是體是果；一歸何處，了達宗旨是用是華；從體起妙用，未曾離一心，此心，是不生不滅不增不減的涅槃妙心，是「佛所成就第一希有難解之法；唯佛與佛，乃能究盡諸法實相」的法華經者之念念止觀現前的究盡悟入諸法實相；因之，一念現前是生命中的一件大事。

《法華經》闡明十界皆成佛之法，一切眾生皆得以成佛之旨「唯佛與佛乃能究盡諸法實相」，為令眾生開示悟入佛之知見道、之妙心，人人本具，故稱「妙法」。妙法妙在方便助開，〈法師品〉「此經開方便門示真實相」，智者大師依據此，而有《摩訶止觀》之二十五方便，十乘觀法，契入一乘之「開示悟入佛知見道」之佛性。

法華觀心是「妙法」，《摩訶止觀》、《法華玄義》所謂「不思議境智行位」，正諭「蓮華」，顯第一義諦菩提之妙法，故名之曰：「妙法蓮華。」法華經者若明辨境智行位三法等十，一一咸妙，則能了知如來出世之意盡矣。如前面所言，三千諸法具空假中之一心三觀三諦圓融，是《法華經》之大體大用，能開示悟入佛知見之絕妙，「境」即此而事理俱融，「智」發此故無緣，「行」起此故無作，「位」歷此故相攝等。《法華玄義》釋此「妙法」，妙者不可思議，法者十界十如權實之法也。《法華經》中，示種種相言辭，無非欲將「妙法」和盤托出，以示法華經者如來使之行門，智者大師終歸以十界十如本迹權實之理，為法華四要，使法華經者，覩見生命之希有事，而生希有心。心為一切法之中樞，善機善

用，則心生妙用，「妙法」現前於一念心，即所謂「法華觀心」是實證體得妙法，《法華文句》之「因緣、約教、本迹」是妙義，妙義妙法者，荷承法華經者之法華禪，能任運自在於一念心中，觀心也。

如是領解觀之，取蓮華而喻妙法，以妙法而合蓮華。法華經者，於菩薩行上，是在領解法華經之教理，與修行法華經之觀心法。如是妙法者，妙無方所，「是法不可示，言辭相寂滅」味而知之，以一念清淨照徹圓明，味味一味，悟中道實相，入不思議境智行位。進一步如是觀之，〈藥草喻品〉，一切佛法是法藥，病癒去藥，只在轉與不轉，悟與不悟，就此直下承當，〈序品〉之「以慈修身善入佛慧」，〈方便品〉之法華經者如來使之法華禪「是法不可示，言辭相寂滅」，法華妙義雖不可示，亦詮方便妙諦，「知一切世間，天人群生類，深心之所欲，更以異方便，助顯第一義」。故知研幾義理，親切禪觀之妙行門者，方能如懷則大師之

《天台傳佛心印記》（T46.936bc）所言，於經疏研幾索隱聞而知之，經文與見聞之間兩心相照，玄領默契，名之為傳，接心。以心印心，之妙解妙行，而證妙果；實是「唯佛與佛乃能究盡諸法實相」之功，不遠矣。〈方便品〉：「若人散亂心，入於塔廟中，一稱南無佛，皆已成佛道。」彈指散華低頭合掌皆成佛道，此之修善之功，功德友，皆共成佛道者即性善也。如是性修二善，莫不使有緣眾生，返本還源真如本有之自性而已矣！法華經者精究一佛乘，或於師門耳提面命見而知之；或於經疏研幾索隱聞而知之，見聞之間兩心相照，玄領默契，方得名之為如來使觀照佛法妙，接心於祕要之藏，印心於「止止不須說我法妙難思……難見難可了」。

換言之，若眾生無佛知見，何所論開，何所適從，當知佛之知見蘊在眾生心也。明白心本具佛知見，不從他得、不從心外求得，是為菩提淨妙、菩提淨明鏡乃不傳之法，心雖本自具足，見聞點示方知是為傳法心印。此不傳之妙如印即心是明心印。如是知此者，方為妙解法華經之法華經者；菩薩行此者名法華經者之妙行；證此者名法華經者之妙果，如此則能「通達大智到於彼岸」矣。如是以「華果同時」之「蓮華」，來譬喻「甚深之妙法」，乃非眼見耳聞能了，是思想不到之妙法妙理，故以當下即華即果，華果同時的「蓮華」喻「妙法」。世尊說《妙法蓮華經》，實乃欲示妙法於眾生，使之情存妙法甘露見灌，願人人心中有部《法華經》，以妙法，做個活妙人，莊嚴人世間。

如是如是領解妙法蓮華，妙法佛法，即鮮活於法華經者心中，教菩薩法佛所護念之經，大行活用於世間之妙智慧，所謂：「諸佛兩足尊，諸法常無性，佛種從緣起，是故說一乘，是法住法位，世間相常住，於道場知矣，導師方便說。」法華經者智者大師，修己心中所行門，得法華禪，視《法華經》之暢佛本懷，是「正直捨方便，但說無上道」之一

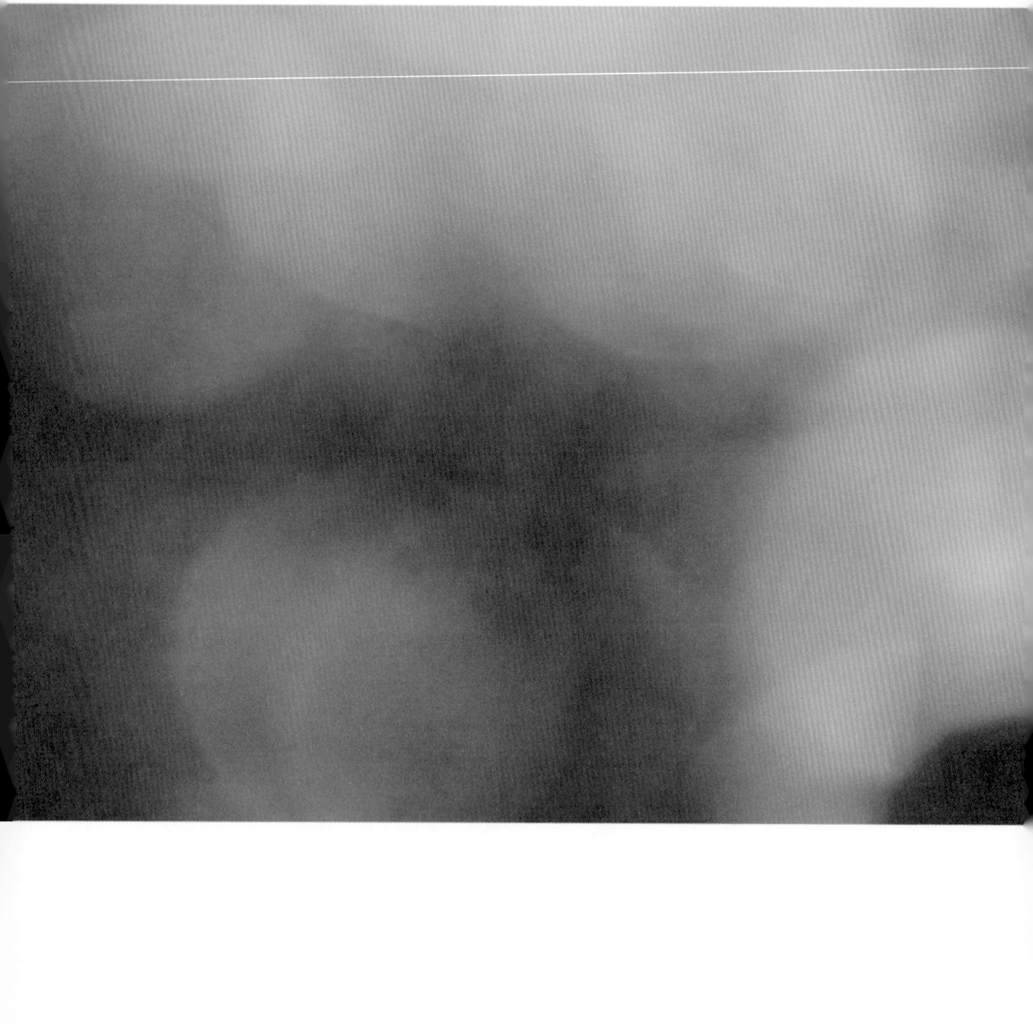

心三觀，就法爾道理而論，實是一心具三諦三觀，遍破一切執情，從而開佛知見，入菩薩位。一心三觀三諦圓融，依念念止觀現前之法融通於一心而為觀，法華思想，以實相三千三諦之理為觀體。止觀法華互顯互彰，法華華嚴互融而互攝。教義上的禪觀，天台的一念三千一心三觀和賢首的法界觀等，不異統攝雙彰佛教思想精神。

止觀研心，如前所說，如何讓法華經者，知道世間相即出世法，即理即事，不壞世間相，而成就「實相」的道理。《摩訶止觀》「一念三千」之緣起觀，正是以「佛種從緣起」之教理，觀不思議境，而得之。「三諦不同而祇一念。……言眾生者。貪恚癡心皆計有我我即眾生。我逐心起。心起三毒即名眾生。此心起時即空即假即中。隨心起念止觀具足。觀名佛知止名佛見。於念念中止觀現前。即是眾生開佛知見。此觀成就名初隨喜品。讀誦扶助此觀轉明。成第二品。」(T46, 85a) 由此開佛知見，入菩薩位。「第六明方便者。方便名善巧。善巧修行以微少善根。能令無量行成解發入菩薩位。」（T46, 35c）如是得之無量妙境，是法華經者，禪定後所開拓的，菩提境妙之生命況味，而領解一大事因緣之絕待止觀、無生止觀，「三界無別法，唯是一心作」止觀通三德的道理。一念三千實相觀，是般若體，般若體是無上甚深，無上的當下即是一念無念之淨境，這無念之妙，即在一念，一念就是所謂的萬法歸一。

可知道一念三千之理諦，是源於一心事具理具，之依據相關緣起論，大智度論卷一「思惟慈心，於瞋恚病中，名為善對治法；於貪欲病中，不名為善，非對治法。所以者何？慈心於眾生中求好事、觀功德；若貪欲人求好事、觀功德者，則增益貪欲故。」（T25, 60a）要知道吾人心性湛淨，如明鏡，自照自明，照了己心所行門。止觀所示之境，即是現前一念識心，為所觀之境也；一念善，具三千功德，性具善惡染淨，是以心境之觀點而為境；一念三千心境上的無量活用，此是妙觀顯妙境，觀悟一念心中具三千性相，皆是使心境之淨妙，而於「介爾有心」之時，湧現淨境之性相，而成淨理之事相；事淨理淨，《摩訶止觀》所謂：「繫緣法界，一念法界，一色一香，無非中道。」花香豈是香，色空無殊，諸法都在吾人心境映照納受，苦樂不擾其心；「唯佛與佛乃能究盡諸法實相」則一色一香也具足中道本體。故中道妙觀是超絕假觀空觀之真實「中道」觀法，一色一香皆沾法喜法樂。是知，智者大師依據《法華經》，以中道妙觀，悟一念三千性相，契入法住法爾，法法何曾法。非凡人都做非凡之事，然而味其味味一味，則一色一香無非中道，也感恩「唯佛與佛乃能究盡諸法實相」，亦是平常人做平常事，實亦終極緣於，法華觀心，一念三千事具理具之圓頓一心，佛教精神在事具無遺，乃法華經者一法不捨；佛教思想在理具淨化中無缺，而一法不立，是「華開蓮現」

全實無權之妙義，法華經者契悟法華，唯以根本攝受，發四弘誓願度生，所行一切功德，有如蓮華之開敷，莊嚴人世間；華開盡了、花瓣落了果現在前。

自度度人，成就眾生，〈藥草喻品〉：「如來觀知一切諸法之所歸趣，亦知一切眾生深心所行，通達無礙。又於諸法究竟明了，示諸眾生一切智慧。」、「如來說法，一相一味，所謂解脫相、離相、滅相，究竟至於一切種智。其有眾生聞如來法，若持、讀誦、如說修行，所得功德不自覺知。」、「佛以此喻方便開示，種種言辭演說一法，於佛智慧如海一滴。我雨法雨，充滿世間，一味之法，隨力修行。如彼叢林、藥草、諸樹，隨其大小漸增茂好。……佛所說法，譬如大雲，以一味雨，潤於人華，各得成實。」世尊以一「本門」開無量「迹門」普雨法雨。

《法華經》從「如是我聞」至「作禮而去」止，智者大師始終用一貫的四意消文闡釋之，以摩訶止觀凝心攝念修之。章安大師在《摩訶止觀》序文中說：「此之止觀，天台智者說己心中所行法門。……行法華經懺發陀羅尼，……位居五品。故經云。施四百萬億那由他國人。一一皆與七寶又化令得六通。不如初隨喜人百千萬倍。況五品耶。文云。即如來使，如來所使行如來事。」

四明知禮大師在《十不二門指要鈔》卷上說，一切教行皆以觀心為樞機，所起諸教皆歸一心之觀。《摩訶止觀》卷五：「當以觀觀昏即昏而朗；以止止散即散而寂。……善巧安心者，善以止觀安於法性也。上深達不思議境深奧微密，博運慈悲亙蓋若此。須行填願，行即止觀也。」（T46, 48c。56b）、「觀者，觀察無明之心，上等於法性本來皆空，下等一切妄想善惡皆如虛空。無二無別。……介爾念起，所念念者無不即空，空亦不可得，如前火木能使薪然，亦復自然，法界洞朗，咸皆大明，名之為觀。」、「止祇是智，智祇是止。不動止祇是不動智，不動智祇是不動止。不動智照於法性，即是觀智得安，亦是止安。不動止於法性相應，即是止安，亦是觀安，無二無別。」（T46, 56c）真所謂「觀」之工夫，是「定止」後安祥息相，息相是安祥和悅；而柔細而幽微，柔伏其心安祥之慧。禪觀妙行之淨化心境，照見宇宙萬物之實相本體，十界諸法以中道之理為本，中道即法界，以此中道所緣之妙境，能緣妙智，顯示出緣緣之緣，而成就妙行，名為中道第一義諦觀，攝事攝理（盤走珠珠走盤）是禪行禪觀之極則，法爾宛然。「天上天下惟我獨尊」妙存於法華經者如來使之參究裏，「唯佛與佛乃能究盡諸法實相」。真如實相涵融於「實心繫實境，實緣次第生，實實迭相注，自然入實理」，一剎那的五蘊識心，當下即是不思議境，更不離卻思議心，佛心與眾生心，在未起妄時，原是一如之覺義，妄真亦「如」了，一念覺時妄皆真，是法華經者境智行位之妙也。

六・唯佛與佛乃能究盡諸法實相

是法華經者參究之話頭

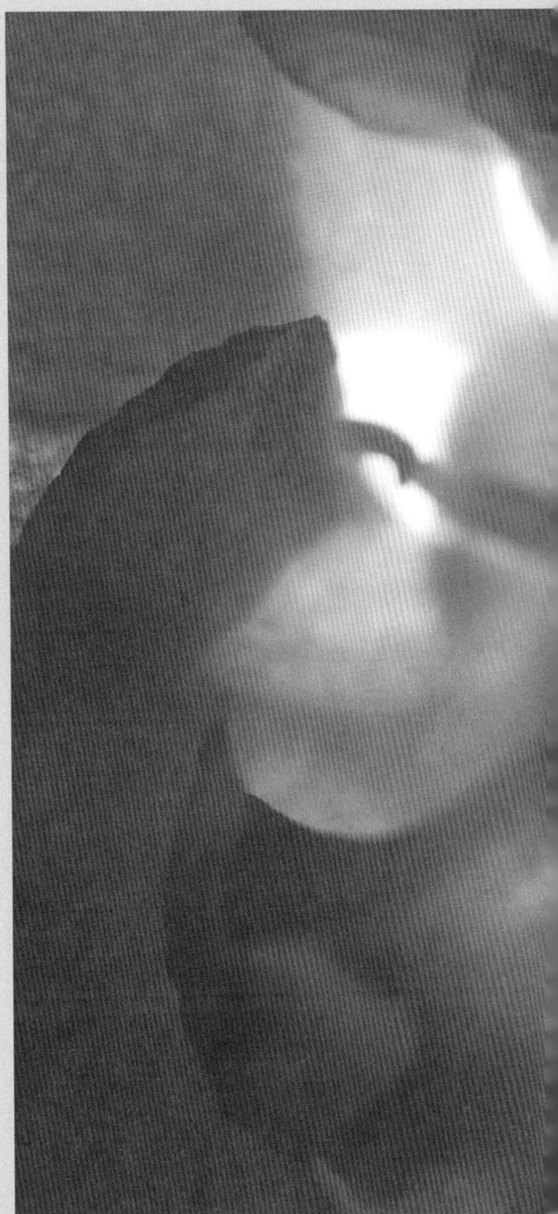

寂寂聆聽佛陀垂語，默默領略佛光垂照：「開示」、「悟入」，行者均須在己心上參話頭，明了「四運心」的話頭；明了調和身息心三事，把捉得來，便是得力處，一呼一吸照顧得來，歷歷分明非耳聞。

教誰共語法味，只是這個「唯佛與佛乃能究盡諸法實相」。

參究「唯佛與佛」……，默坐洗心室，開靜，撫觸面額、腳、腰部的覺知，啊！己心中所行門，所追究，想畢竟的是什麼的遺失呢?!人，這一生，一呼一吸、死死生生在己之一身心，子時三更已將過矣，這身抱著不解的疑情與生命的悽酸，仍然還是要讓這心，入於沉潛底狀態，一日困倦的昏睡，又歇息迴避一回，日復一日地迴避，依稀見到「綿密」二字，那是「心跡」，當細細參思深深義，觀照如是如是之心行。了得生便能脫死，日日晨朝步出觀寂寮的默念：又是身心康寧安泰的一日，舉足動步而常入定的一日，廣修供養恆順眾生的一日；心念不空過能滅諸有苦的一日，諸惡莫作，眾善奉行；自淨其意，是諸佛教的一日。

「唯佛與佛乃能究盡諸法實相」的禪話禪思禪源，它意味著法華經者慧命觀，久遠實成佛，深長久遠幽微的佛性問題。「自淨其意，是諸佛教」，第六意識不染不動，而成淨意；意淨之妙意根，是自性眾生法界淨，則八識「盡淨虛融」。〈方便品〉首句：「世尊從三昧安詳而起，告舍利弗，諸佛智慧，甚深無量，其智慧門難解難入，……唯佛與佛乃能究盡諸法實相。」《摩訶止觀》說「以禪悅法喜慧命為息」，通明諸法實相，這樣的隨自意觀息法，也是通明禪觀的觀息法，也是法華經者菩薩行方便行的入門之道，此之菩薩道的思想精神，智者大師開出「十乘觀法」。

智者大師的法華三昧，《摩訶止觀》引《大集經．華嚴經》開示我們說：「三事合調者。三事相依不得相離，如初受胎一煖二命三識，煖是遺體之色，命是氣息報風連持。識是一期心主，託胎即有三事。」調凡夫三事之煖（身）、命（息．壽）、識（心），轉變轉化為聖人（佛）三法之戒定慧，這就是一種化通，不落入書堆裏融通融貫的思想，讓法華經者成就為「唯佛與佛」之「神明佛人」。

智者大師說：「色為發戒之由，息為入定之門，心為生慧之因。此戒能捨惡趣凡鄙之身。成辦聖人六度滿足法身。此息能變散動惡覺。即成禪悅法喜因禪發慧。聖人以之為命。此心即能改生死心為菩提心真常聖識。始此三法合成聖胎。始從初心終至後心。唯此三法不得相離。觀心調五事者。如前法喜禪悅為食也。……調息者，以禪悅法喜慧命為息。」這些煥然一新的體悟，與生命的念佛，調心調息助緣起行起修，有著莫大的關係。

法法何曾法，「解行相應」、「唯佛與佛乃能究盡諸法實相」，此中便是法華經者之「大機要」，此中自有生命的大文章，如何開動啟動此機要，如何成就此入佛知見的文章，都仰賴自家善巧方便行止的功夫得來，此中消息時時淨念相繼中，得得來。如是如是之理入行入，觸景照心，其意了了，自然了然稱法行之本然菩提大道。

「云何無畏如師子，所行清淨如滿月；云何修習佛功德，猶如蓮華不著水。……進止安徐如象王，勇猛無畏猶師子，不動如山智如海，亦如大雨除眾熱。」——〈華嚴經．明法品〉

「云何思，云何修，以何法念，以何法思，以何法修，以何法得何法。……迦葉當知譬如大雲，普覆一切，……甘露淨法……以一味雨，潤於人華，各得成實。」——〈法華經．藥草喻品〉

〈方便品〉說明，諸法實相，由觀行修而明達，菩薩之悲心，必需具足如是力，如是因緣，始能調御自他眾生。智者大師的法華禪，以「純圓獨妙」之教，說四部止觀、法華文句、法華玄義，「定慧力莊嚴，以此度眾生」。四弘誓願是法華經者薰修過程中，悟真空妙理無所得所成就，是上求佛道之由，善巧發菩提心大悲心，是下化眾生之原動力。然此種四弘誓願之功力，均需由三心互融（菩提心、無二慧、菩提大悲心）而顯，此三心如鼎足三立。大悲心，為眾生拔苦與樂，觀眾生苦，發菩提心；無二慧，離二邊中道實相智慧，而得知諸法實相義；菩提大悲心，菩薩觀見世間之苦，思惟此非個人所獨有之苦，誠一切眾生所共，己心欲離痛苦，亦應使令眾生解脫痛苦，而發起菩提心來。是以四弘誓願之菩提心，為上求下化之原動力。佛教數千年來，之所以能善巧安頓人心，乃發自一心淨念之澄源（四弘誓願）。

智者大師在《釋禪波羅蜜》說：「禪波羅蜜大意者，菩薩發心所為，正求菩提淨妙之法。……故大品經云：菩薩從初已來，住禪波羅蜜中。具足修一切佛法，乃至坐道場，成一切種智，起轉法輪，是名菩薩次第行次第學。次第道……」

「菩薩行人修禪波羅蜜大意。即為二意。一先明菩薩發心之相。二正明菩薩修禪所為。第一云何名菩薩發心之相。所謂發菩提心。菩提心者。即是菩薩以中道正觀以諸法實相。憐愍一切。起大悲心。發四弘誓願。四弘誓願者。一未度者令度。亦云眾生無邊誓願度。二未解者令解。亦云煩惱無數誓願斷。三未安者令安。亦云法門無盡誓願知。四未得涅槃令得涅槃。亦云無上佛道誓願成。此之四法。即對四諦。故纓絡經云。未度苦諦令度苦諦。未解集諦令解集諦。未安道諦令安道諦。未證滅諦令證滅諦。而此四法。若在二乘心中。但受諦名。以其緣理審實不謬故。若在菩薩心中。即別受弘誓之稱。所以者何。菩薩雖知四法畢竟空寂。而為利益眾生。善巧方便。緣此四法。其心廣大。故名為弘。慈悲憐愍。志求此法。心如金剛。制心不退不沒。必取成滿。故名誓願。行者若能具足發此四願。善知四心。攝一切心。一切心即是一心。亦不得一心而具一切心。是名清淨菩提之心。因此心生。得名菩薩。」

「菩薩發四弘誓。不修四行。亦復如是。復作是念。我今住何法門。修菩薩道。能得疾滿如此四願。即知住深禪定。能滿四願。」

「菩薩如是深心思惟。審知禪定。能滿四願。……復次菩薩。因修禪定。具足般若波羅蜜者。菩薩修禪。一心正住。心在定故。能知世間生滅法相。智慧勇發。如石中泉。」(T46, 476a–477a)

菩薩由於具足四弘誓願,對內眾生則轉識成智「唯佛與佛乃能究盡諸法實相」,對外眾生則轉凡入聖「菩提淨妙淨明鏡」,唯以度內外眾生為務,只隨悲心所轉,〈信解品〉「心相體信,入出無難,然其所止猶在本處。」（T9．17）法華經者之法華禪進入方便行，發心五種法師行，必應有利生義務之觀念，莊嚴己心的國土與成就眾生，所以菩薩須是發大願心，方名為菩薩。由於願力而支持悲心之顯發，所以悲心願力，是一舉即雙，之相生連貫性的法華經者，之菩薩學處。法華即禪，心離妄想，禪之境也，諦觀現前一念心，觀成妄滅，淨化之心也。如何能觀照「唯佛與佛乃能究盡諸法實相」，是法華經者參究之話頭；藉以般若遣蕩之功，止觀建立之妙。天台以般若為觀法者，即根源於淨化之法，「般若生佛，法華成佛」，扶律談常之涅槃三德，是天台止觀建立所依，之三德祕藏（法身德、般若德、解脫德），三德具四德（常、樂、我、淨）。菩薩至此境界，體（果）用（華）一如，華果同時，於此妙心境妙行之行持中，依四悉檀（總攝三藏十二部經）為成熟內外眾生之大法。四種悉檀：一、世界悉檀，二、各各為人悉檀，三、對治悉檀，四、第一義悉檀。菩薩依此四悉檀，自覺覺人，一切悲願開拓了，法華經者於一切內外生活中，能得《華嚴經》所謂「智為先導身語意業」；菩薩發心與眾生「為救、為歸、為趣、為炬、為明、為照、為導、為無上導」。《大智度論》：「佛欲說第一義悉檀相故，說是般若波羅蜜經。」所以發慈悲心大願力之菩薩，必須先訓練自己，如何「以智為先導身語意業」，是以法華經者修攝其心，之安樂行。〈法華經．序品〉：「以慈修身，善入佛慧，通達大智，到於彼岸。」解行相應於「唯佛與佛乃能究盡諸法實相」。

智者大師視《法華經》是「純圓獨妙」之經，「楞嚴開慧、般若生佛、法華成佛」，法華禪之所以能令法華經行者成佛之重要，核心是〈序品〉、〈方便品〉：「以慈修身、善入佛慧」、「佛自住大乘，如其所得法，定慧力莊嚴，以此度眾生。自證無上道，大乘平等法，……故佛於十方，而獨無所畏，我以相嚴身，光明照世間，無量眾所尊，為說實相印」的生命慧

命基調、平等獨立無畏的精神。無慈悲心，無法深入經藏智慧如海，無善法因緣之慧根，也不知珍惜修持佛法的可貴。《法華經》開示法華經者，以四悉檀為荷承悲智大用，悲智交運，照無所遺。是知解行相應於「唯佛與佛乃能究盡諸法實相」為法華經者輪轉之機，法華四悉檀實踐施行為法華經者成佛之道，是以〈安樂行品〉之菩薩學處親近處。佛以一大事因緣出現於世，為眾生開示悟入佛之知見道。五種法師行之所以能開佛知見，是從〈譬喻品〉佛子「未覺」而今「始覺」，故而開。既「始覺」緣中，知路尚遠，施工不已，漸進漸入，如人鑿井，漸見濕土；見濕土矣，知菩薩近處得潤澤清水現前；〈法師品〉：「譬如有人，渴乏需水，於彼高原穿鑿求之，猶見乾土，知水尚遠，施功不已，轉見濕土，遂漸至泥，其心決定，知水必近。」如是之湛然澄明，悟境朗瑩（明心見性之境），此皆有賴法華妙智慧之開示而悟入佛之知見道，顯自性清淨心，唯佛與佛乃能究盡諸法實相。

《摩訶止觀》之觀不思議境，吾人現前一念介爾之心，具足三大，絕諸對待，無前後方隅，豎窮三際橫遍十方。宇宙人生中，一切日用云為，興心動念，不外此三大之互相參照、互攝互影，如華嚴經中之因陀羅網，微妙光燦。體相用三大之行相，乃吾人心性湛淨，如淨明鏡，自照自明隨緣不變，體即真如，是為「法住法位」之「體大」；全妄即真之心體，具足過恆河沙稱性功德，在凡不減，在聖不增，是為「唯佛與佛」、「世間相常住」之「相大」；即此一念心性、之體、之相不變隨緣，能出生十法界因果，達此十界因果，緣生無性，使能翻染成淨，是為「乃能究盡諸法實相」之「用大」。吾人一念淨心，能具此三大，能大用四悉檀，法華經者即能成就佛道也。故法華經者主要以「開示悟入佛知見道」，以佛之「知見」為己之知見，以佛菩薩之「行處」而為己之行道，則一切簡化明瞭，非難處，非易處，盡在「一心」觀「唯佛與佛」。《心經》，照見五蘊皆空，能除一切苦真實不虛，度一切苦厄，即是開示佛之知見「究盡諸法實相」矣。法華禪，止觀四悉檀，令其心性之轉依，不依「識蘊」而依正知正見之正智，實乃人世間之一大幸福。天台依般若為觀法，以大智度論為指南，〈法華經．譬喻品〉「大白牛車」之菩薩精神，詮四種悉檀之自利利他，以成就世界悉檀為首重、為詮義，佛法中實有，以世界悉檀故實有，以各各為人悉檀故實有，以對治悉檀故實有，以第一義悉檀故實有。由是可知，〈法華經．方便品〉之「是法不可示，言辭相寂滅」乃法華禪也，法華詮方便妙諦，祕妙方便，「知一切世間，天人群生類，深心之所欲，更以異方便，助顯第一義」，乃此「為是眾生故，而起大悲心」。研究《法華經》中之第一義，配合四悉檀之第一義，則無說而有說，有說而無說，〈安樂行品〉中之「行、不行」、「不行、行」。無一而非妙，妙在世界悉檀有說，第一義悉檀無說。諸佛菩薩與世界有情之緣，是以諸佛菩薩，為世界因緣而有說有行，於自法性則無說無行，有無皆不可得，妙歸無言說，觀不可思議境智行，「唯佛與佛乃能究盡諸法實相」，實是般若一心三觀雖能「開示佛之知見」，法華之四悉檀詮究盡諸法實相「悟入佛之見道」，均假於文字般若之義，而消歸中道實相第一義諦。〈法師品〉：「此經開方便門，示真實相。」佛語心宗，應是天台法華禪法華經者之稱也。華果同時，體用相資；菩薩悲心是果（體）、鮮活體性，度生大行是華（用）、活用莊嚴人世間。敷萬行之因華，嚴一乘之妙果。惟天台智者大師，初見南嶽慧思大師於光州大蘇山，思授以普賢道場，令修法華三昧。誦經至藥王菩薩本事品：「是真精進，是名真法供養如來。豁然大悟，寂而入定，親見靈山一會，儼然未散，獲一旋陀羅尼。自是以後，照了法華，如曦和之臨萬象，達

諸法相，似清風之遊太虛。」（《妙法蓮華經論貫》）

《止觀義例》卷上：「實心繫實境，實緣次第生，實實迭相注，自然入實理。釋曰：心若繫境，境必繫心，心境相繫名為實緣。復由後心，心心相續，心心相繫名迭相注。即是心注於境境注於境，境注於心，心心境境念念相注如是次第剎那無間。自然從於觀行相似以入分證。故云入實。」如是解行相應於唯佛與佛乃能究盡諸法實相。

七・五重玄義之論用

《法華玄義》五重玄義之論用第四。玄是深遠、幽微，玄義是玄妙的法義之意，論用是，論經典化他之功德利益。「法華經者，如來一切所有之法，如來一切自在神力，如來一切祕要之藏，如來一切甚深之事。法華經者，能令一切眾生喜見，能令一切眾生離苦痛，能解一切生死之縛。」（〈如來神力品〉）「是法住法位世間相常住」正直無上之道，是圓融三諦之妙法也，此妙法之論用，如來神力品提及，一切自在神力者，內用名自在，外用名神力，即證明論用之力也。

此之力用，《妙法蓮華經》之法者，眾生法佛法心法，〈方便品〉之「為令眾生開示悟入佛之知見」，若眾生無佛知見，何所論開，當知佛之知見蘊在眾生心也。此乃佛出世之一大事因緣，然而佛法之妙者，不出權實二智。〈方便品〉云「止止不須說我法妙難思」、「是法甚深妙難見難可了一切眾生類無能知佛者」即佛實智妙法也；「及佛諸餘法，無能測量者」即佛權智妙法也；如是之權實二智二法「唯佛與佛乃能究盡諸法實相」是妙法蓮華經之佛法妙。己心中所行門之心法妙者，如〈安樂行品〉中「修攝其心觀一切法不動不退」，遊心法界，觀根塵相對一念心起，於十界中必屬一界，如如，不動不退，《華嚴經》所謂心佛及眾生是三無差別，破心微塵，出大千經卷，是妙法蓮華經觀心門之心法妙也，是觀不思議境也，中道實相觀也。觀「三界無別法唯是一心作」之論用，闡明一念三千法，謂心是三界無別法唯是一心作，故方可能有一心三觀（從假入空觀、從空入假觀、中道第一諦觀）之三諦圓融，之實相妙法，之詮釋，力用之一法攝一切法，不縱不橫之中道實相觀，「唯佛與佛究竟諸法實相」乃十如是法攝一切法之一念三千實相。如是觀之，諸法之如是相性體力作等「唯佛與佛乃能究盡諸法實相」此之實相是眾生難解難入之佛之智慧門，門者不思議境之境地也。

一念三千、一心三觀，活然於法華經者，自如之妙運得宜，所謂「用之則行，捨之則藏」，方乃如來使之論用妙行，如來所遣、行如來事之正法發心。正法者，如來使（菩薩）以中道正觀，起大悲心，發四弘誓願，而善修觀心門。談禪說理故謂，天台以教觀與止觀為行持法門之要旨，「止」如密室，「觀」似油燈。正如吾人泡茶與喝茶，燒飯與喫飯，如掌之一舉即雙，兩不相分。

法華經者，應視為佛音知音者可也。真正研究佛學佛法之人，行持天台止觀與華嚴思想之於生活實踐成果，自然使徘徊門外之現代禪學有趣者，獲得恍然回顧自己的故紙堆，也許會重新探究一番，也未可知，因為學問如是，修行亦如是，行一步則進一步，步步邁進精進妙意根。天台教觀之綱網，一代所說教理，悉應機施設之教化也，「教」以詮「理」、「化」物為「義」，佛於自證本無言說，以悉檀（成就）赴緣。佛法之「論用」為研究佛教或學佛之人，最為扼要之關鍵，而顯體論用，乃佛法上之全程核心所在，即使見自本性，乃學佛之到家工夫，歸了家，行住坐臥依然是日常，主人翁，也有主人翁的家務，故論用，是法華經者（菩薩）大願大行之功果，是為一心三觀法門之核心所在處。

《法華玄義》解釋「妙法蓮華經」五字，用一半以上的篇幅，顯現了智者大師認為《妙法蓮華經》的核心，是含攝釋迦如來一切經教，詮釋「妙法蓮華經」這五個字，是佛教思想之總綱。所以《法華玄義》用「五重玄義」的方法，來解釋妙法蓮華經這五個字，來證明佛教佛學思想的理論系統，是統攝在法華經裏。「五重玄義」釋經方法始於《法華玄義》，智者大師在玄義中運用五重玄義的方法，試著將佛學理論教理道理（教觀與止觀），收攝於《法華玄義》中，五重玄義的釋名論用，尤其是以「妙法蓮華經」五字來作為佛教菩薩思想精神之綱目，細密且詳盡地展開

《法華經》之菩薩精神。

智者大師依《華嚴經》，界定心、佛、眾生三法，無差別，其實智者大師，主要說明觀心門之佛教教理的要點，「法」乃在能修能覺能解脫的主體上，是不思議心，以境智行位四十妙，來詮釋眾生與佛的相對待，俗與聖的互相參照，本質上是性具染淨善惡，一言以蔽之，是「心」的把捉方向，「心」的迷悟問題。所以法華經者的行持，當以觀心法要為第一要務，證成境智行三十妙的「境智冥一」，其內容即所謂心佛眾生三法，以一念三千、一心三觀，為解脫的觀心法要。觀心者觀一念無明即是明，是觀心法之論用，大經云無明明者，即畢竟空，空慧照無明，無明即淨，一念之心具十二因緣，觀十二因緣，因緣恆作常樂我淨之觀，其心念念住祕要之藏中，恆作十二因緣、三事觀，轉化了，則名託聖胎，觀行純熟胎分成就，將破無明名出聖胎。觀因緣生法即空，是空觀持戒也；觀因緣即是假，假觀持戒也；觀因緣生法即是中，中觀持戒也。所言觀心為因緣生法者，若觀一念心從惡緣起，即能破根本無明，棄五蓋即淨意根，心既明淨黠識昏迷自除。摩訶止觀觀身息心三事之轉化，「凡夫三事變為聖人三法。色為發戒之由。息為入定之門。心為生慧之因。此戒能捨惡趣凡鄙之身。成辦聖人六度滿足法身。此息能變散動惡覺。即成禪悅法喜因禪發慧。聖人以之為命。此心即能改生死心為菩提心真常聖識。始此三法合成聖胎。始從初心終至後心。唯此三法不得相離。觀心調五事者。如前法喜禪悅為食也。初觀真諦所生定慧。」（T46．47b）

再者闡述「妙」，說明佛經有一百二十種善妙處，是由心佛眾生三法為起點的善妙，展開「境、智、行、位、三法、感應、神通、說法、眷屬、利益」十個領域範疇，《法華玄義》：引證者文云諸法如是相等惟佛與佛乃能究盡諸法實相，實相是佛智慧門，門即境也，甚深微妙法難見難可了我及十方佛乃能知是相，即「境妙」也；我所得智慧微妙最第一，又以此妙慧求無上道無漏不思議甚深微妙法，惟我知是相十方佛亦然即「智妙」也；本從無數佛具足行諸道行，此諸道已道場得成果，合掌以敬心欲聞具足道，諸法從本來，常自寂滅相，佛子行道已來世得作佛，即「行妙」也；開示悟入亦是「位妙」義；乘是寶乘行於四方是因位直至道場是果位是名「位妙」；「佛自住大乘如其所得法定慧力莊嚴」大乘即真性軌，定即資成軌，慧即觀照軌，是為「三法妙」；我於三七日中，思惟如是事，又我以佛眼觀見六道眾生，又一切眾生皆是吾子，又遙見其父踞師子牀即「感應妙」也；今佛世尊入於三昧是不可思議，現希有事「神通妙」也；如來能種種分別，巧說諸法，言辭柔軟悅可眾心，身子云聞佛柔軟音，深遠甚微妙，又其所說法皆悉到於一切智地，又但說無上道，又已今當說最為難信難解即「說法妙」；但教化菩薩無聲聞弟子即「眷屬妙」；現在未來若聞一句一偈皆與三菩提記又須臾聞者即得究竟三菩提又若以小乘化我即墮慳貪是事為不可又終不令一人獨得滅度皆以如來滅度而滅度之即「利益妙」也。

《法華玄義》，引證經文，明迹門十妙之佛智佛境之不可思議境智權實一百二十妙，《摩訶止觀》則開十境十乘觀法，觀權實二智。

境、智、行、位是屬於佛因；三法（真性軌、資成軌、觀照軌）是屬佛果，此三軌通三般若三因佛性三德；三法妙者斯乃妙位所住之法即三軌也。一真性軌二觀照軌三資成軌，名雖有三祇是一大乘法也。

三佛性者，真性軌即正因性，觀照軌即了因性，資成軌即緣因性；三般若者，真性軌是實相般若，觀照軌是觀照般若，資成軌是文字般若；三菩提者，真性即實相菩提，觀照即實智菩提，資成即方便菩提；三大乘

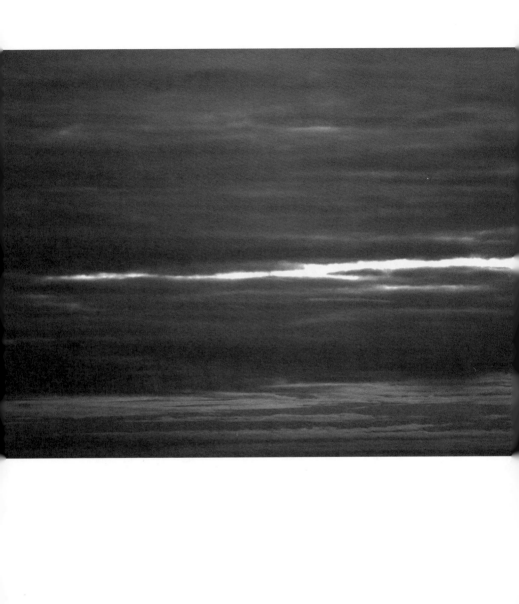

者，真性即理乘，觀照即隨乘，資成即得乘；三身者，真性即法身，觀照即報身，資成即應身；三德者，真性即法身德，觀照即般若德，資成即解脫德。凡夫地一念之心，具十法界十種相性為三法之始，何者十種相性祇是三軌，如是體即真性軌，如是性性以據內即觀照軌，如是相相以據外即福德資成軌，力者了因是觀照軌，作者萬行精勤即是資成，因者習因屬於觀照，緣者報因屬資成，果者習果屬觀照，報者習報屬資成，本末等者空等即觀照假，等即資成中。

綜觀之，智者大師闡述「妙」，所說明佛經有一百二十種善妙處，迹本二門各十妙，加上心佛眾生三法妙共六十妙，二門亦各有相待妙絕待妙二妙，總成一百二十妙，〈安樂行品〉中隨取一妙，觀一切法不動不退，是得心法妙；不動不退者修攝其心，心佛眾生三無差別，遊心法界但觀己心，破心微塵出大千經，亦是詮釋心法妙之觀心法。

如是觀之，理解是由心佛眾生三法為起點的善妙，展開「境、智、行、位、三法、感應、神通、說法、眷屬、利益」十個領域的觀心法，分別為，迹門本門（相待與絕待）之妙，來詮釋法華經之妙處。而「蓮華」則喻一切佛經之菩薩精神，有其權實、迹門本門的思想教理。

遊心法界但觀己心，破心微塵出大千經，亦是詮釋心法妙之觀心法。數息是治亂之良藥，止觀之「一念心」，以安般守意經的「捨隨念」法，達到正念現前，智者大師教行者「數息」工夫，正念自然明歷地一層層開顯。所謂念出息入息即是數息觀，是對治散亂之良藥，入禪定之捷徑。「一明治覺觀多病者。如經中說。覺觀多者。教令數息。今覺觀之病。既有三種。息為對治。亦為三意。一明利心覺觀者。行者坐中。明利之心攀緣。念念不住。此應教令數息。何以故。數息之法。繫之心在息。息是治亂之良藥也。若能從一至十。中間不忘。必得入定。能破亂想。數息之法。於沈審心中。記數沈審之心。能治明利。是以數息能除明利心中覺觀病也。二明治半明半昏覺觀者。病相如前說。今對治之法。應教令隨息。隨息出入。則心常依息。以依息故。息麁心即麁息。細心亦細。細息出入。繼心緣之。能破覺觀。心靜明鑒。知息出入。長短去就。照用分明。能破昏沈。是故說隨。為治若但數息者。即有扶昏之過。若但觀息。亦有浮亂之失。不名善對治也。三明治昏沈心中覺觀者。覺觀起相。如前說。對治之法。應教令觀息。息入時。諦觀此息從何處來。中間何所經遊入至何處住。口出息亦如是。此法後當廣說。如是求其根源。出無分散。入無積聚。不見定想。明心觀照心眼即開。破於沈昏。靜心依息。能破散亂。故以觀息對治沈昏覺觀之病。」(《釋禪波羅蜜》T46, 502bc)

所以天台觀心法門的基層就是《六妙門》的一數、二隨、三止。

是：「工夫教工夫」，只要自己下真工夫，正念自然湧現。則對道務、緣務，經得起磨鍊，能做難行能行之事。古大德祖師的如來所遣行於如來事，是從禪行教觀的工夫演化出來的。生大悲心發菩提心是止觀行門之旨要，所謂：「發菩提心即是觀，邪僻心息即是止。」又「夫心不孤生必託緣起，意根是因法塵是緣，所起之心是所生法。」《摩訶止觀》依天台性具思想，分善惡兩種，因為心是生起義，心可淨可染，盡在「意識」之淨或染，我們的真如妙心，就如一個透明光徹的圓珠，這要智慧的心眼，始能觀照內心明珠，故佛禪是開智顯慈悲以教化眾生，所以祖師稱「佛使」，章安大師喻智者大師為「如來使」。

轉回過來細細深味，〈法師品〉、〈安樂行品〉之定慧修觀法，法華經者的誓願菩提智慧神通，何以皆於四安樂、三軌法中得之，《法華文句》解釋勸修法華經者，為四眾說法華經應當具行三軌法四安樂行，而得普賢菩薩勸發品之四法成就，「起悲之由……正發誓願……誓願、菩提、智慧、神通，皆約安樂行得。何者？深觀如來座，故得智慧力，四辯莊嚴，能以慧拔也；深觀如來室、如來衣，得大善寂力，不起滅定現諸威儀；神通福德莊嚴先以定動也。」（T34 · 123ab）

參究菩提心己心中所行門，大慈大悲觀世音菩薩所修的耳根圓通，圓通寶殿梵唱：南無觀世音菩薩，耳根聽聞到的聲音，全都收歸於自心的「聞性法門」。觀世音菩薩的聞性是盡虛空徧法界的，菩薩因聞性而開悟，就是聲音而已，沒有以分別識聽聞，而是自性清淨，不同於我們根塵相應所生的分別識在作用，不聞性而聞識。

觀音世音菩薩的聞性「慈悲普聞十方」，所以菩薩的「德」是普門；慈悲是「性」，菩薩的「聞性」這兩字，行者需要好好的去耽味參究，因為心中有禪（耽味參究），意念上就有妙法。所謂天台的「全性起修，全修在性」，是從心來修，叫做「全性起修」修不離心，是根治煩惱之本（本修法門即是法華禪），「修不離心」是一個正念現前的觀念，時時提醒在心中，心中自有念佛或數息或六度波羅蜜的意念，亦是禪之一字之義。

本修法門，用兩種方法入門，念佛、隨息最為核心根本。數息是初階過門功夫，數是麤，如同念佛菩薩，念到不起妄念，自然念佛菩薩的德與性，叫做性分中念佛菩薩了，不是聲音念；是念佛禪。真正的從性分理具三千中起修事造三千，「全性起修，全修在性」（T46, 713b），讓行者識回本性。「全性起修」就是，念佛也好、隨息也好，真正是從本性上起用功的；「全修在性」，是日常生活，耳聞眼見，六根門頭所收入的，都歸到性分上來修，顯菩薩性。

觀世音菩薩的「反聞聞自性」，所謂八識心王，心、意、識，其實只有一心（菩提心），行者的塵勞妄想來了，就有識。當心清淨，反聞自性，無有分別識，是清淨意（妙意根）。所以心、意、識只有一個念心，永嘉大師證道歌：「夢裏明明有六趣，覺後空空無大千。」分別，就多相了，屬無明網，起塵勞妄想時，是有心有識有意的，所謂心就是集起心，意是緣慮心，識是分別心，可是但觀一念心、一念齊修時，就只有清淨心，因之、觀音菩薩菩薩是「聞性」不是「聞聲」，坐在海邊，聽聞海潮聲、樹風聲、鳥聲，菩薩悟「普聞衆聲，不礙心性。」所以觀音菩薩的德成為普門，慈悲為性。

「全性起修，全修在性」：「全性起修」是「因地起修德」，這是學佛的重點「因地的慧命開拓」，「全修在性」是約果地上來說。性與修一舉即雙，性是理體，修是事相；理事不二、性相一如，在因地上順真如性「修不離心」是一個般若禪的觀念，時時提醒在心中，叫做隨順真如；在果地上全修在性，所有的修德全為開顯真如佛性而修。所以藉智起修，由修照性，由性發修，本修法門，完全是從性分修起。性分，就是我們的心性，從我們的心來修；像受戒、懺摩、這些是戒相，戒體呢！什麼是得到戒體，受戒時誦戒時，行者的心，完全貫通到自己的心法上，從此不觸犯戒（是稱性是全性起修），這是從我們的本性上去下工夫。念佛，念一句南無大慈大悲觀世音菩薩，是自己念到本性念上、自性念上，所謂念念回歸消歸自性，觀音菩薩是修自性，所以是「聞性」。「念佛不離心、念念從心起。」所謂「不離心」，在行住坐臥、觀念上的佛性佛法都不離心，不離心才可以叫做法門。六妙門，一數、二隨、三止、四觀、五還、六淨。修隨息不離心，則六妙門都在其中。所謂：「止觀還淨都不說，端的全神在隨息。」全神專心到成為，己心中所修門的本修法門，久之，「移情作用」，打動內心的宗教情操，則漸漸臨近「斷德」，章安大師說，「斷德如二十九夜月」，「斷德」就是行者修不離心（心念不空過）、一心稱念觀音菩薩的聖號，則觀世音淨聖的悲智，可以斷我們的邪思妄想，就叫「斷德」。

本修法門比吃飯重要！不離的，晨朝睡醒意念裏自然了然，己心中所行門是什麼，久而久之就用上了工夫，也就能夠「相應」「用上功」，真正有本修法門的，只要我們下工夫而行去，一開始，護法神就會保護我們（善護念）。因為精進修不離心的本修法門，自能通達佛菩薩的心。「法雨潤人華，觀世音淨聖。」天台大師定一家宗旨，菩提淨妙，悟介爾一念，即具三千，發明一心三觀法要，直承釋迦文佛「宗、教」之機，佛心為宗，佛語為教，行者於此契入參究，始達心源。

此刻，踏著月色的碎光，聽見己心底的話語，同感自己的步伐，微微地舉足動步而常調息。思緒，瞬間，凝攝在湛湛的步調，沒了塵囂也沒了淨化，淒清孤寂的心緒，獨自感懷，清龍蘭花默然落地於跟前，靜止著，似乎從心音掠過，不動，卻有聲。剎那之間，照見了心經之光。回觀寂寮，凝神援筆，文字裏滴落了觀心與般若體。現前一念明鏡心，一念三千；一念無念即淨，萬法歸一，一念如同明鏡，胸懸明鏡照達三千。後夜孤鐘散曙，開板聲響在耳際縈迴，又是一日之始動。「幽棲豈可事徒然，晝諷蓮經夜坐禪；吟裏有聲皆實相，定中無境不虛玄。直教似月臨千界，還遣如空度萬緣；從此必知宏此志，免教虛擲愧前賢。」（永明延壽禪師山居詩）這個「虛」字乃「實相之境」，實相乃佛法極至之體用。

為己心中所行門

而思惟修　參究菩提心

觀世音菩薩之德之性

（部分整理自昔日筆記於二〇一八年五月五日前夕）

八・內裏乾坤

天台觀法之諦觀現前一念心，是以安般守意入其門。歷境安般息相，進而行持六妙門，如法於晝夜六時，止觀還淨都不說端的全神在隨息。

智者大師，耽味《法華經》之菩薩道，〈法華經．安樂行品〉：「持經妙行正修三業，大悲顯功行之妙」；是為菩薩勤修「行處、親近處」，此之與法師品實踐五種法師行，自然得入三軌法，是一體的悲智雙運。三法者，披如來忍辱衣，坐如來法空座，入如來大慈悲室之「行處、親近處」。行處，親近處之四安樂行乃身口意誓願安樂，於天台觀心法要，乃觀內、能觀外；觀外、迴觀內，成就三德祕要之藏，是為諦觀現前一念心之樞紐，觀成妄滅，則本知本覺成就法身德，能知能覺成就般若德，所知所覺成就解脫德。這說明了智者大師的觀心門，是依法華三昧成就法華一乘妙觀，顯三德祕藏之由，法師品所謂「此經開方便門，示真實相」。修天台止觀者，若能真實用功，時時提起當下現前一念觀心之觀念，則身、口、意三業誓願行皆得安樂。因三業清淨，而能妙運一念三千之觀法，即使一念起名為妄，而此妄亦皆真，此乃能知覺成般若，所知覺成解脫，本知覺常起觀念，故於一切環境任運解脫，不為所知障繫縛，由此了悟菩薩得三智、三德，將不為一切環境人事所繫縛。能知而成般若之妙智慧，所知而不障，入於天台之三止三觀。境智冥一入如來祕要之藏。

其所觀境之「境」，是不思議三諦空假中之境。乃我人現前一念無明之心（第六識心），隨染淨之緣，生十界四聖六凡諸法；一念具足十方三世諸法相，如法華經中說，夢見初發心時，乃至成佛，只是一念眠心。心，自心清淨心，眠法，無明之念。夢事不實，美惡憂喜歷然，見思惑真空也。若不細尋夢，不思議之疑，難可決了，體一念無明法性心，則三諦之境朗然明顯。

能觀智者，此之「智」，為不思議三觀空假中之智，指我人現前一念第六意識之心（五蘊之識蘊）。因為心不自心，因境有心，境不自境，因心有境。無有心外之境，更無境外之心，以心境不相離故，「能所」皆是以第六識心作用之，一切法趣此，是趣不過也。行者只須觀此一念無明之心，一心三觀則圓照一境三諦之理，此即《摩訶止觀》之圓頓止觀也，己心中所行法門也。止觀明靜之「圓頓者。初緣實相造境即中無不真實。繫緣法界一念法界。一色一香無非中道。己界及佛界眾生界亦然。陰入皆如無苦可捨。無明塵勞即是菩提無集可斷。邊邪皆中正無道可修。生死即涅槃無滅可證。無苦無集故無世間。無道無滅故無出世間。純一實相。實相外更無別法。法性寂然名止。寂而常照名觀。雖言初後無二無別。是名圓頓止觀」。（《摩訶止觀》卷一，T46, 1c）

如是之止觀明靜，則證成法華經三德祕要之藏，亦即一智三智，一眼五眼。境智冥一圓觀成就，至此，六根清淨（法師功德品之六根清淨位），到此境地，修德有功，則性德顯之，體證見了決了一境三諦。真諦理顯、成般若德，俗諦理顯、成解脫德；中諦理顯、成法身德，名為祕要之藏。染淨迷悟善惡只是一念心中顯，迷時「一念三千」之境如「眠法」，悟時「一念三千」之境如「正夢之時」。直至「觀行位」與「相似位」，已是一念心知一切法，身口意三業是道場，成就一切智，一念三千不為所知障惑，不為能知障迷，本知本覺之中道不思議境智現前矣。味味一味湛然平等，百川不攝大海，大海攝百川，雖攝百川，同一味也。如大車等賜，一雨普霑灑。

（二〇一八年五月十日靜思）

九・法華經者生命教育的一大事課題・

權實相資入佛知見

在雷雨灑落的辰時，遙喚初展顏的白蓮花，佛子影蓮、心跡聞見，情存妙法甘露見灌之音。記一段法華經者生命教育的一大事課題。

如果說開示悟入佛之知見是《妙法蓮華經》的主軸，那〈序品〉、〈方便品〉「為教菩薩法，佛所護念。佛說此經已，結跏趺坐，入於無量義處三昧，身心不動。……爾時，世尊從三昧安詳而起，告舍利弗」文所示之，佛與菩薩與眾生之關連性，當如何解讀。那是菩薩契機於佛所開示之語言，而悟入佛之知見的機宜問題，將存在於《妙法蓮華經》之「法華經者菩薩道」的攝養行法上。

智者大師證法華三昧後，有天台三大部的著作，例如：《摩訶止觀》的「正修行」中，開解了法華經者菩薩道的行門。法華經者當如何體解《妙法蓮華經》之開示悟入佛之知見道（祕要之藏），而以此度眾生，是法華經者生命教育的一大課題，其參究之根源，三大部五小部，及之外的三本止觀禪法，有其作用力在。

因之，如來使欲究明的是，權實相資入佛知見，即權與實，事與理各兩相益彰的生命教育，旨在化通如來祕要之藏，進而開示悟入佛之知見，它將如何與佛之一大事因緣出現於世的度生之旨相契合。而《妙法蓮華經》乃教菩薩法佛所護念之經，於中蘊含了佛與菩薩，菩薩與眾生的親切心法。《法華玄義》中，解釋「法」，有三層，「妙」有迹門、本門各十妙；它全然的提示出、眾生在生命過程裏的行持法門。在於「己心中所行之法」；迹門「境智行三十妙」、匯入「位妙三法妙」之「位妙」，如是圓教的五十二階位，法性平等常自寂然，五十二階位之始終取義藥草喻品、化城喻品，及「三法妙」之圓成三因佛性、三德，乃「是法住法位，世間相常住」之教觀相資入實相門，而完成「法蓮經者」生命教育中，所明示的「成佛之道——開示悟入佛之知見」。

故筆者試著以「己心中所行之法」，做中軸線貫穿如來使所行之事，即論點上均有，三事調和念念止觀現前之修法。試圖論述法華經者生命教育的基調，在日常生活中如何善用，《妙法蓮華經》這一面「菩提淨明鏡」，來醒悟覺受慣性（外行為）的狀態，而化解習性無明的伏結。我認為，此乃生命的自我加持，開拓那「佛性種子的根本知覺」，〈方便品〉所謂「佛種從緣起」，佛性是能生性、方名種子，而若善護念種子、它能生生不息地妙活、活妙，情存妙法人活妙；甘露見灌人活妙，所謂「糞壤生華」，乃《摩訶止觀》，為法華經者啟動生命的根本知覺，開出朵朵生命之華果同時，乃生命教育底蘊的一大生機，是「法華經者覺性教育」覺照的人生。

慧命（平等大慧）二字本身，是探討生命根本問題的核心靈魂物，所以它是佛陀所謂的一大事因緣故出現於世的樞紐，因為慧命教育乃獨自承擔方為大事，法華經者教育於己亦然。《妙法蓮華經》是一部「因禪說教」教菩薩法佛所護念之經，智者大師以觀心法將之化通為絕待止觀、不思議止觀、無生止觀、生死事大、一大事止觀之經。（注1）因之，佛為一大事因緣故出現於世之本懷，欲令行者化通開示悟入佛之知見道之鑰、開啟關鍵之法。以是「禪（注2），止觀（注3）」乃生命教育之樞機；乃「法華經者」之本懷，亦是如來使慧命觀的菩薩精神。摩訶止觀，為法華經者啟動生命的根本知覺，開出一片慧命之華果同時之法華禪（注4），因為禪當體就悟。

如是法華經者的慧命觀，需體解的三個課題。第一部分是《法華經》的教理行法如何讓智者大師開法眼，止觀研心而以止觀行門開宗。第二部分是指向經與行者的如說修行，開展出智者大師解讀《法華經》的三重獨特性，一、教菩薩法佛所護念之經的一念三千三千一念的行門。二、如來使之經的菩薩三軌法、四安樂行、四要法。三、暢佛本懷之經。從中以禪止觀行門來貫穿「於道場知矣，導師方便說」之教義。第三部分是以如來使的觀念，來論菩薩道的生命教育方法，相映交輝出，智者大師止觀慧命觀的命脈脈絡。

「慧命」之二字，我以讀誦《法華經》、參研《摩訶止觀》、《法華文句》、《法華玄義》的體解，視之為「禪、止觀」的另一種詮釋。覺悟身息心三事調和，是如來使悲智教化的基本內容，可將它解讀為，是佛性種子的教育。如是，教育之源「慧命」之一法，乃「慧命、菩提心」不離心的佛性種子具足悲智，「佛種從緣起，是故說一乘」，佛性是能生性，所以稱之為種子。

如是法華經者的修行道場，在於禪之一字的行持「息心」上，照見五陰皆空的真實不虛度一切苦厄。止觀有兩種能生性（身與心的能生性），在用法上智者大師將之束成身息心三事調和，換句話說身息心是法華經者行持的道場，而身息心三事調和，以觀息為行持之門，息（氣息、呼吸），是我們生命之根、也是心的能生性，在惺惺寂寂的狀態入禪定，覺知悲智本體的佛性種子。「惺惺」與「寂寂」，惺惺是不昏沈、心在醒覺的狀態；寂寂是將入空觀（從假入空觀）。所以無惺惺何來寂寂。

因之，惺寂心與昏散意是一體兩面（智慧與愚痴亦然）。行止觀者，境智冥一，人法俱空。於三業之中，體聞佛知見；就生死五陰之內，顯菩提心。「既知無明即明不復流動，故名為止。朗然大淨呼之為觀。」（T46, p3b）簡言之，法華經者是啟發覺悟性的人生，體悟人與萬物是相安相生；亦即透過禪止觀的自我安頓自我教育，使人能從自己的世界照亮到他人的世界。《法華經》教人覺悟人生最需要的是什麼，生存最珍貴的是什麼，無他，「善巧安心之道」而已。一切的活動、言語、行為都是

由心念指發，然則調心、攝心、養心、安心實為首要。

智者大師歷境驗心以平實之語，教化我們如實之理如實之道。如是觀之，所以自我覺知的生命教育過程，〈法師品〉明示，修行五種法師三軌法，將成為法師、佛子、法華經者、菩薩之如來使、如來所遣行如來事的一大事教化因緣。〈安樂行品〉的法味，是要成就後末世，法華經者如何教化講說《妙法蓮華經》之修門，此一行門以身、口、意三業安樂行為三要點，來成就主軸的誓願安樂行之菩薩行，此之菩薩行，將能得法王髻中明珠（發真正菩提心．如來祕要之藏）。

一念心是心的歸依，在此種生命教育的自轉法輪，一念三千三千一念，行者但觀一念心，天台的觀一念心是觀照徹見妄心，妄心觀照它，它就寂靜了，此之一念覺即是、覺己心之妄而轉化它，所以妄一散即無念〈息心〉，一念無念〈息心〉是為禪之教育法，「悟心容易息心難」了脫生死端的在此，「轉自性法輪；歷境驗心的覺醒上」，因之、一念無念（從假入空）是般若淨化智；無念無不念（從空入假）是菩薩慈悲精神；由悲智悟入佛知見（中道第一諦）。故於行持中，開拓深妙智慧乃佛性顯之同等意涵。

從中智者大師提出一個「絕待止觀」的行門的基底，是善惡是非二體互含的一念無明法性心之生命教育觀。這各中的論對，實為呈現法華成佛之因，乃由生命教育轉化為全人格的生命體。《法華玄義》卷二中，釋眾生妙，佛法妙，畢竟後，開示出「心法妙者」，此之心法如何令「妙」，端的在安樂行中，「修攝其心，觀一切法不動不退」。**（注5）**這也是《小止觀》、《釋禪波羅蜜》、《摩訶止觀》中所提示的身、息、心三事調柔的觀心法門。如何成就之？《法華玄義》進一步說明，「眾生法太廣，佛法太高，於初學為難，然心佛及眾生是三無差別者，但自觀己心

則為易」（注6）端的全神在數息的悲智生命教育方案，實可證實之。

「然心佛及眾生是三無差別者。但自觀己心則為易。……華嚴云。遊心法界如虛空。則知諸佛之境界。……又遊心法界者。觀根塵相對一念心起。於十界中必屬一界若屬一界即具百界千法。於一念中悉皆備足。」（注7）湛然大師在《十不二門》中云：「觀心乃是教行樞機」。（注8）此之觀心門，實是法華經者生命教育修行之喉衿，這就是《妙法蓮華經．方便品》所謂的「佛種從緣起」的一種止觀行門，所依的慧命觀之悲智旨趣。用實務去履踐出「諸法實相，佛知見」的生存內涵。論證了三軌法乃法華經者如來使成就生命，開拓慧命，貫穿「成佛之因」與「成佛之果」的意旨。實相真諦於吾人一念心中通達無礙，只要一念心當體、能即空即假即中的觀照諸法，成就自他的法華禪。

止觀研心之三事調和息心，是法華經者之教育慧命觀。

注：

1 釋悟觀《紀念曉雲導師百歲誕辰，第十四屆國際佛教教育文化研討會》「法華經的生命教育觀」摘要。

《摩訶止觀》，故名絕待止觀。亦名不思議止觀。亦名無生止觀。亦名一大事止觀。故如此大事不對小事。〈妙法蓮華經．序品〉爾時世尊，四眾圍遶，供養、恭敬、尊重、讚歎。為諸菩薩說大乘經，名無量義，教菩薩法，佛所護念。佛說此經已，結加趺坐，入於無量義處三昧，身心不動。是時天雨曼陀羅華、摩訶曼陀羅華、曼殊沙華、摩訶曼殊沙華，而散佛上、及諸大眾。普佛世界，六種震動。

（《大正藏》09, p2b）

2 〈妙法蓮華經．方便品〉是法非思量分別之所能解，唯有諸佛乃能知之。所以者何？諸佛世尊唯以一大事因緣故出現於世。舍利弗！云何名諸佛世尊唯以一大事因緣故出現於世？諸佛世尊，欲令眾生開佛知見，使得清淨故，出現於世；欲示眾生佛之知見故，出現於世；欲令眾生悟佛知見故，出現於世；欲令眾生入佛知見道故，出現於世。舍利弗！是為諸佛以一大事因緣故出現於世。」佛告舍利弗：「諸佛如來但教化菩薩，諸有所作，常為一事，唯以佛之知見示悟眾生。舍利弗！如來但以一佛乘故，為眾生說法，無有餘乘，若二、若三。舍利弗！一切十方諸佛，法亦如是。（《大正藏》9, p7a）《釋禪波羅蜜》，禪一字，凡夫外道，二乘菩薩，諸佛所得禪定，通得名禪。故名為共。復次禪名四禪。凡夫外道，二乘菩薩諸佛，同得此定，故名為共。（《大正藏》46, 477bc）同時亦言：「不共名者，波羅蜜三字，名到彼岸，此但據菩薩諸佛故。《摩訶衍論》云：禪在菩薩心中，名波羅蜜，是名不共。」（《大正藏》46, p477b）

又智者大師亦引《大智度論》之文來說明何以用「禪」來攝一切禪定修法。

《釋禪波羅蜜》，如《摩訶衍論》中云：「問曰：背捨、勝處、一切處等，何故不名波羅蜜，獨稱「禪」為波羅蜜？」答曰：「禪」最大如王，言「禪」波羅蜜者，一切皆攝。是四禪中，有八背捨、八勝處、十一切處、四無量心、五神通、練禪、自在定、十四變化心、無諍三昧、願智頂禪、首楞嚴等諸三昧，百則有八。諸佛不動等百則二十，皆在「禪」中。若諸佛成道轉法輪入涅槃，所有勝妙功德，悉在「禪」中。說「禪」則攝一切，若說餘定則有所不攝，故「禪」名波羅蜜。（《大正藏》46, p478b）

太虛大師很早就指出《釋禪波羅蜜》為集漢末至魏晉南北朝禪法之大成者，為六世紀後期天台早期禪修之特性。

3 《小止觀》曰止觀、曰定慧、曰寂照、曰明靜，皆同出而異名也。若夫窮萬法之源底，考諸佛之修證，莫若止觀。天台大師靈山親承，承止觀也；大蘇妙悟，悟止觀也；三昧所修，修止觀也；縱辯而說，說止觀也。故曰說己心中所行法門。則知台教宗部雖繁，要歸不出止觀。舍止觀不足以明天台道，不足以議天台教。……（《大正藏》46, p462a）若夫泥洹之法，入乃多途。論其急要，不出止觀二法。所以然者，止乃伏結之初門，觀是斷惑之正要；止則愛養心識之善資，觀則策發神解之妙術；止是禪定之勝因，觀是智慧之由藉。若人成就定慧二法，斯乃自利利人，法皆具足。故《法華經》云：「佛自住大乘，如其所得法，定慧力莊嚴，以此度眾生。」當知此之二法，如車之雙輪，鳥之兩翼。諸佛如來，定慧力等，是故了了見於佛性。（《大正藏》46, p462b）

4 智者大師大蘇山開悟，將佛教的一切修行方法稱為「禪」，說明於注2。大蘇山淨居寺位於河南省光山縣城西南二十二公里處，總面積八百餘公頃。乃天台宗的發祥地，是集宗教、歷史、人文、自然、生態景觀資源於一體的名勝。一九八八年七月三十一日，日本大正大學教授、佛學部部長村中佑先生率領日本天台智者大師足跡探訪團，專程到淨居寺尋根。一九九七年，日本佛教界拍攝智者大師足跡電視片，也來淨居寺採訪。一九八七年河南省人民政府公佈淨居寺為省級重點文物保護單位。二〇〇二年五月，淨居寺被武漢大學宗教學系定為教學基地。淨居寺歷史底蘊豐厚，公元五五四年，中國佛教天台宗二祖、淨居寺開山祖師慧思大師結庵光州大蘇山。慧思大師結庵摩崖石刻至今猶存，字跡依稀可辯。

公元五六〇年，智者大師慕名前來大蘇山禮慧思大師為師，習法華、般若二經，得一心三觀、三諦圓融等天台教觀與止觀，為佛教思想史上著名的大蘇開悟。此後淨居寺在歷史的長河中，歷經興衰。於宋乾興（一〇二二—一〇二三年）中復建，真宗賜額敕賜梵天寺。淨居寺生態環境優良，尤其是淨居寺種茶歷史悠久，據史料記載：慧思大師結庵後，闢山種茶。現在仍保存著清代道光八年（一八二八年）淨居寺竺鼎和尚種植的茶樹六十餘叢，宣統年間種植的茶樹三百餘叢。

5 《妙法蓮華經》《大正藏》9, 30c。

6 《法華玄義》《大正藏》33, 696a。

7 《法華玄義》《大正藏》33, 696a。

8 《十不二門》《大正藏》46, 702c。

十·華落蓮成——成就四法的法華經者

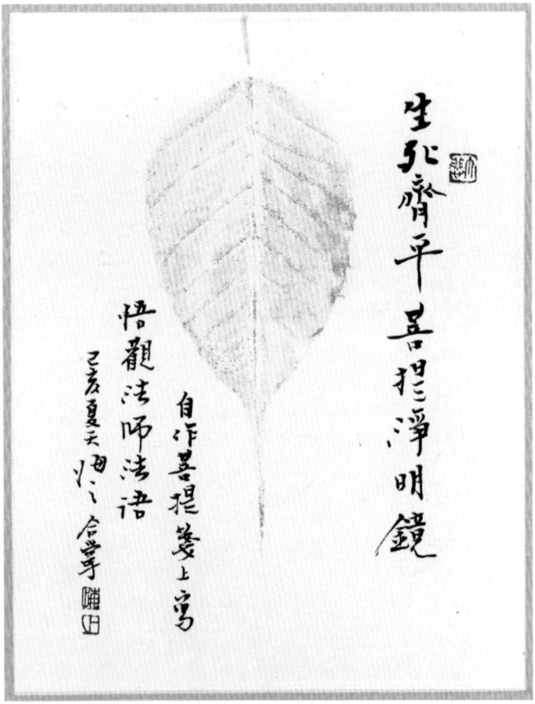
生死齊平 菩提淨明鏡
自作菩提箋上寫
悟觀法師法語
己亥夏天
合掌

《妙法蓮華經》七卷二十八品經文有邊際，然「情存妙法」是無量無邊際的……。

佛子思惟，現今的教育在多元化，跨界跨領域的社會中，講究「核心能力是什麼」。《妙法蓮華經》中〈安樂行品〉的身安樂行，慈悲忍辱柔和善順之菩提心，即是生活的親切感。那是己之生命與《妙法蓮華經》之「慈悲智慧」、「平等獨立無畏」的思想精神相貫融。此中所言與「慈悲智慧」相貫融，乃心性之佛與日常性的思言行，同存、同依的「父母所生清淨六根」，因之，欲成就佛之「平等獨立無畏」的思想精神，須經法華經者菩薩位轉化的考驗。於中之生命教育乃「華果同時」之慧命教化，於一生中得佛知見。《摩訶止觀》中，凡夫在生命中如何將身、息、心三事調和，轉化為聖人戒、定、慧之命息，於一切法中心不動之安樂行。於生死的教育中，了知無常是生命的大事，亦即是《摩訶止觀》中所指

「絕待止觀、生死止觀大事」。此一大事如何契入、佛為一大事因緣故出現於世，為令眾生開示悟入佛之知見道。《妙法蓮華經》是諸佛如來祕要之藏，藏伏者，醒覺眾生內藏之佛性（衣裏繫珠），驗證唯佛與佛乃能究盡諸法實相。故自我生命教育的法華經者，當覺佛行，佛所行之迹，《妙法蓮華經》迹門的流通分，是傳至我們現在的佛弟子，行五種法師行之見聞的內容，乃釋迦佛說給當時弟子聽。吾人由佛經中化法出來；即佛子見聞經典，經過止觀的修持而化通出佛法的意味，而行持於三業。即體學出來的菩薩性，來善用於度化眾生之道，此乃所謂的菩薩道、菩薩行。（今日乃知真是佛子，由佛口生、由法化生、得佛法分）。因之，迹門是如何去行持成就佛知見之法門，即佛經化出的法門。智者大師如是體解方能引述〈華嚴經．夜摩天宮品〉，所謂心佛眾生三無差別之佛性。故三無差別之佛性，是在醒醒然的「覺性」裏被轉化開拓出的「妙」。因之，一大事因緣，即是要醒覺眾生心中內藏的佛之知見，它是祕要之藏（三因佛性）。

所以《妙法蓮華經》之「妙」字，可解為生活的圓滿，開拓出菩提心的生命氣息（自覺、覺他、覺行圓滿）。換言之，妙就是活的圓滿，活得華果同時，「華」能莊嚴世界社會人類，「果」能利益人類社群。法華經者止觀研心的生命過程，經典中本迹二門鋪陳為〈方便品〉、〈藥草喻品〉、〈法師品〉、〈安樂行品〉、〈法師功德品〉、〈普賢菩薩勸發品〉等……菩薩道行門。筆者自體會，〈方便品〉的諸法實相、佛種從緣起、平等獨立無畏，及〈法師品〉的三軌法（披如來忍辱衣，坐如來法空座，入如來大慈悲室）；和〈安樂行品〉，身、口、意三業安樂行，立足於誓願安樂行的生命教育，是《妙法蓮華經》法華經者如來使，權實二智教化眾生的基調。因為第二、五、十品至十四品是，顯迹門中法華經者的慈悲智慧因果，而於〈安樂行品〉成就菩薩位功德，故已圓滿三軌法。十四品以後是佛行本門行願的淵源因緣，以及菩薩教化事迹，如何行持佛所教化的法，即用身語意去做弘傳教法，如〈觀世音菩薩普門品〉，化出菩薩的「性、是慈悲」「德、是普門」，即顯法華經德本（佛性般若體）之性，而化開普門度生之德。現今的佛子法師菩薩，當以本門的佛性之諦理融智圓無礙為基礎，來化通迹門之學思行，做深心的開拓，於日常性的思言行，乃《妙法蓮華經》法華經者之慧命教育觀。

七卷二十八品經文有邊際，然「情存妙法」是無量無邊際的……華落蓮成。

華落蓮成即以蓮華瓣落，則蓮實成，喻於法華之迹門，稱廢權立實，即三乘之權方便廢去，則一乘之真實義成立；喻於法華之本門，稱廢迹顯本，即釋尊伽耶垂迹之權身廢去，則本地之實身成立。《法華玄義卷七下》蓮華三喻、迹本三喻，經題之「蓮華」在本門、迹門各自立三喻。喻佛所說甚深「妙法」，難解難入，唯佛與佛乃能究竟諸法實相；若以語言闡釋，則佛取蓮華為喻；即以蓮華之花果同時，喻權、實一體之妙法，而於本、迹二門各立三喻。一、迹門三喻：1、為蓮故華，比喻為實施權，以蓮比喻實，以華比喻權。2、華開蓮現，比喻開權顯實，以華開比喻開權，蓮現比喻顯實，〈法師品〉所謂此經開方便門，示真實相。3、華落蓮成，比喻廢權立實，以華落比喻廢權，蓮成比喻立實，正直捨方便，但說無上道。二、本門之三喻：為蓮故華，比喻從本垂迹，以蓮比喻本，以華比喻迹，以顯久遠實成之佛是本地；謂如來久遠以來，實已成佛之本門，但為教化眾生而示現少年出家、菩提樹下降心魔之化迹的迹門……。

天台禪觀主要經典《妙法蓮華經》，如來使的己心中所行門。法華經者是如來使，如來所遣行如來事；如來事者，以「開方便門，示真實相」來闡釋「蓮華」之菩薩精神，來彰顯「妙法」之菩薩思想。《法華經》是人生的一盞明燈，禪行生活的源泉，因為，細說了佛世尊修行的途徑，是〈如來壽量品〉，讀來的領略；是行持〈安樂行品〉的安養指南；顯出〈六妙門．摩訶止觀〉的行法出來，主要是「無著處」，觀心徵心，觀至徵至妄心無著處，便是得力處，即是「向上一著」，止觀法的觀第六意識，之妄心觀，是有奧意深微的匯水歸源，但觀一念心也是「妄心觀」，蕅益大師說：佛祖之道教觀而已。

妙法蓮華之「妙」，妙在方便、開顯一真實義（佛之知見道），頂眼照乾坤，一月高懸萬界輝；妙法蓮華之「法」，以三法妙（心佛眾生總歸一妙），證入「唯佛與佛乃能究盡諸法實相」之平等大慧的法華三昧。十如是之「諸法」，即世出世間一切情與無情，是權是實；「實相」即諸法之中的第一義諦，是實是理。此中所要傳達的理念是，世間相即出世法，即權即實，即理即事，不壞世相，而成中道實相；所謂佛法善用活用於人世間之正法，亦即是佛法不離世間法的寫照，實在顯佛心佛法悲智教化於此也。可知法華經者之菩薩功德，是行於「理具」，成於「事造」，雙輝互映，惺惺寂寂，寂者止義，惺者觀義。

一念忘緣寂寂，孤明獨照惺惺；看破空中閃電，非同目下飛螢。
文字眼中幻翳，禪那心上浮塵；內外一齊拈却，大千世界全身。
（X73, 801b）

法華經者之止觀方便義，善巧修行，以微妙善根，能令無量行成解發入菩薩位，人人能修，能學，誰無一念心，誰無一個活妙的心；即寂即照，即照即寂；「春光照，人活妙」，淨如清鏡。般若觀照之功，是法華經者解行之核心功夫。因之，唯菩薩悲智、佛之知見道，始能顯此佛心之方便門；即所謂為實開權方便法，乃法華經者如來使之佛事。此之方便法，是菩薩思想之知見，是菩薩精神之祕妙，即是法華經者之「祕妙方便」，方者祕也，便者妙也，思想精神妙達於方，則內裏繫無價寶珠，之與王頂上惟有一珠，無二無別。此之方便即真實者，「唯此一事實，餘二則非真」、「唯有一乘法，無二亦無三，除佛方便說」。除佛方便說，「祕妙方便」顯真實義者「等賜大車，即知止息，同到寶所，轉教付財」。《妙法蓮華經》之〈譬喻品〉、〈信解品〉、〈化城諭品〉，皆以同體方便之機宜引攝眾生，解惑開慧，可知若無方便門，佛法難以利樂有情。方便善導，顯佛之悲智教化；無智則無妙方，無悲則不與人便利，信解受持，助發六根清淨開佛知見。

從《妙法蓮華經》佛為一大事因緣故出現於世的「開示悟入」佛之知見道的行持，來觀看，止觀行者（己心中所行門）即是「法華經者」。〈方便品〉中「平等、獨立、無畏」乃法華思想精神所在，智者大師依此建立天台三大部（《法華玄義》、《法華文句》、《摩訶止觀》），微細而詳盡的解釋，教觀與止觀行門，令法華經者「開示悟入」佛之知見道。「自證無上道，大乘平等法」。《妙法蓮華經》二十八品，皆為平等大慧說起，其意義遍於各品之中，顯理於〈方便品〉。

「佛自住大乘，如其所得法，定慧力莊嚴，以此度眾生。自證無上道，大乘平等法。故佛於十方，而獨無所畏。我以相嚴身，光明照世間。無量眾所尊，為說實相印。」——〈方便品〉

實相印，即是妙法（妙在觀心，觸事契理），妙法（心不可思議），即是平等，平等者物不可分別。妙法之所以說是教化的內容，實是心乃無思量處，生命之生生不息，就在此「妙法」妙運融通，花開花落，春歸夏至，一切平等一切自然。平懷觀世界，世界平等觀、「道人一種平懷處，月在青天影在波」。（石屋禪師）在吾人心法之妙明平等真心，建構獨立無畏精神於心法，所謂心境之「理具」、「事造」，即獨立與無畏，「無量眾所尊」必然是無畏之心境。亦是獨立無畏之自尊自貴，止觀研心，乃法身慧命之融貫於生命生活之中。法華經者的「一色一香無非中道」，全在四悉檀的「理具」、「事造」中含攝；世界悉檀、各各為人悉檀、對治悉檀，乃「事造」之德，第一義悉檀乃「理具」而超理，入不思議心境，之諸法實相。

成就四法得《妙法蓮華經》的法華經者，之止觀研心的慧命觀。從中了知，生命、之能生能滅的根本，是不生不滅，法爾如是的生命。《思益經》云：「愚於陰界入，而欲求菩提，陰界入即是，離是無菩提。」此中，智者大師指出，「一切陰入即是菩提，離是無菩提，一色一香無非中道，道是無別中道。眼耳鼻舌皆是寂靜門，離此無別寂靜門」。妙法蓮華經是教化菩薩之經，它的主軸在於開拓生命之平等大慧悟入佛知見。說穿了，為的是究明生命根本問題，即具有悲智生命的本然狀態，是不生不滅，是證得「菩提心」，為大前提的生命悲智教化思想。

菩提者，乃身心遍滿悲智之「淨明鏡」體，然而生命由思想精神（心）和身體（四大和合）組織而成的，故，欲究竟菩提心（生命的根本問題），須由身、息、心三事調和、念念止觀現前，起修。來深心體悟，在萬法變化中，生命的「分段生死、變異生死」，此種生命道理乃如是如是的原則，但是宇宙是永遠不停活動著，我們的生命精神領域也是永遠妙活著（不生不滅、不增不減、不垢不淨）。

「三事合調者，三事相依不得相離。如初受胎一烣二命三識。烣是遺體之色。命是氣息報風連持。識是一期心主。託胎即有三事。……三事始終不得相離。須合調也……若能調凡夫三事變為聖人三法。……即成禪悅法喜因禪發慧。聖人以之為命。此心即能改生死心為菩提心真常聖識。始此三法合成聖胎。始從初心終至後心。唯此三法不得相離。」——《摩訶止觀》T46, 47b

從中了知，生命、之能生能滅的根本，是不生不滅，法爾如是的生命。《思益經》云：「愚於陰界入，而欲求菩提，陰界入即是，離是無菩提」（T15, 52b）此中，智者大師指出，「一切陰入即是菩提，離是無菩提，一色一香無非中道，道是無別中道。眼耳鼻舌皆是寂靜門，離此無別寂靜門」（《法華玄義》、《摩訶止觀》、T33, 688c. T46. 9a）此種道理，須用「證成道理」來求證，生命的生滅（觀待道理、作用道理），與不生不滅（法爾道理、法住法界、法如法爾）。）（《阿含經》、T2, 85b）

因之，思想觀念的生滅變異、身體的新陳代謝的無常現象，吾人如何以身、息、心三事調合戒定慧（觀待道理、作用道理），來證成《妙法蓮華經》所謂「佛之知見、如來祕要之藏」是《妙法蓮華經》的法華經者生命教育觀的一大課題。智者大師證得「法華三昧」，而詮釋《妙法蓮華經》，指示、成佛之境是證得菩提，它從「佛種從緣起」的修證，而發真正菩提心，此乃善解體悟《妙法蓮華經》，佛因慈悲心而施設權巧方便之門（智者大師將它體悟為止觀二十五方便），由此善巧方便之門，修正觀門，而體悟開解，佛之知見的生命智慧；開拓慧命、乃《妙法蓮華經》所謂的「發心」，發菩提心也，開發覺醒、覺悟之心也。這一切必須凡夫眾生之心，內藏一切諸佛種子，所以說，佛菩提心從大悲心起。這一個生命開拓慈悲智慧的課題，智者大師將《妙法蓮華經》二十八品貫通為，由戒（明懺淨）進入數息之道，由淨息善入初禪，因禪定而開拓智慧，也因凡夫眾生內在活存者聖人的智慧命息，而體現慈悲一切眾生之心，以此悲智心轉入「是法住法位，世間相常住」的體證，而成就菩提心，生死齊平菩提淨明鏡的「涅槃妙心」。所以《華嚴經》云，心佛及眾生是三無差別，我們應該在自己生活的過程裏面，善識己心的活動，由於清澈己心的影像，而能捨妄歸真，由己心證得一切佛法的具足。

這樣的一套慧命哲學，是由智者大師《摩訶止觀》裏，提示了一個精簡的行門，「發菩提心即是觀。邪僻心息即是止。又五略祇是十廣。初五章祇是發菩提心一意耳。方便正觀祇是四三昧耳」。（T46, 5b）

〈妙法蓮華經．法師功德品〉中開示：佛子法華經者，受持五種法師行，是人當得六根清淨，於身根功德得清淨身，如淨明鏡。《摩訶止觀》、《釋禪波羅蜜》中，之善根發相定法持身，身端心攝意氣息調和，必有持身法，自然身體正直似有物扶助身力，之未到地定如心相。（《摩訶止觀》、《釋禪波羅蜜》T46, 118bc. 123b. 495a-b. 509c. 529b）又《釋禪波羅蜜》中，闡明「菩薩發心所為，正求菩提淨妙之法，必須簡擇真偽，善識祕要，若欲具足一切諸佛法藏，唯禪為最」。（T46, 476a）及《摩訶止觀》第四觀業相境中，智者大師參究〈提婆達多品〉、〈法師功德品〉，而闡明修止觀能動諸業，而善惡相現「平等鏡淨故諸業現」（T46, 111c）《法華經》云。深達罪福相遍照於十方。罪福祇是善惡業耳。……止觀研心。心漸明淨照諸善惡。或可以止止惡惡方欲滅。以觀觀善善方欲生。或可以止止惡惡因靜生。以觀觀善善因觀滅。無量業相出止觀中。如鏡被磨萬像自現。……以止觀力能感諸佛。示善惡禪諸業則現。……今但研心止觀令業謝行成。（T46, 112a）

如是之、己心中所行門之「功德藏」，乃善根發的善巧安心，明鏡體（如來祕要之藏佛性）若不動色像分明，淨水（止觀善巧安心）無波魚石自現，此種己心深邃遠達的精神事態，是精進歷境驗心之止觀行門。其精進心中的菩提，實是吾人生命的依歸，它是忍辱心決定，決了一切、不起餘思念的法供養，如一切眾生喜見菩薩的燃臂供養。

我今供養日月淨明德佛舍利。……即……燃百福莊嚴臂七萬二千歲而以供養，令無數……人，發阿耨多羅三藐三菩提心，皆使得住現一切色身三昧。……于時菩薩，於大眾中立此誓言：「我捨兩臂，必當得佛金色之身，若實不虛，令我兩臂還復如故。」作是誓已，自然還復，由斯菩薩福德智慧淳厚所致。……此經能救一切眾生者，此經能令一切眾生離諸苦惱，此經能大饒益一切眾生，充滿其願。如清涼池！能滿一切諸渴乏者，……如病得醫，……；此法華經亦復如是，能令眾生離一切苦、一切病痛，能解一切生死之縛。若人得聞此法華經，……以佛智慧籌量多少，不得其邊。（《妙法蓮華經》T9, 53c-54b）欲體解此種精進，乃發菩提心之法華經者，將自己身上的每一個細胞，全然地、拿來用於饒益一切眾生，法布施眾生，令善用其心於生活的每一個環結上。它意味著、若果生命不能對人類眾生有所利益的話，那發菩提心之法華經者，就沒有肉體存在的理由，因之、將生命更堅決醒悟於三因佛性的狀態——生死齊平菩提淨明鏡。

故法華經者，化通如來祕要之藏的基層處，乃行者探索生命存在意義的一種宗教性生命性的關懷，筆者體解為它必須是，承傳全人類文化思想精神底蘊的相連結。因之，菩提心、佛性、或道統，在生命中是精神的生活核心。是一種生命宏觀的關懷，他啟始於醒悟「我」的存在的狀態是什麼？我生命力的主軸是什麼？沉澱我想法中所有念頭、人剩下什麼？可能是醒悟?!因之，人如何在「存在的虛無感」中感覺，生命的任何一件事，要如實的與生命意義有所串連，日復日的精進，則生命的法喜，生命的核心能力源泉（生命的真實義菩提心），會在偶然中乍現。如同《妙法蓮華經》的七種譬喻（三界火宅喻、長者窮子喻、三草二木喻、化城寶處喻、衣裏繫珠喻、良醫治病喻、髻中明珠喻）之善巧遇著釋迦佛的慈悲與智慧。

所以，法華經者發真正菩提心的當體，其心猶如大海水般清涼而澄淨，其心安住深法海，如淨水珠能澄清諸濁水，而自淨其意。因之，深入如來祕要之藏，當行《摩訶止觀》觀陰入界境之四、破法遍的一心三觀法，盡除眾生心性中的愛見惑，即勤用止觀善巧修習，以此善根迴轉令正智現前。如《摩訶止觀》解明一心三觀為：一、從假入空破法遍。二、從空入假破法遍。三、兩觀為方便得入中道第一義諦破法遍，如是三觀實在一心中得。（T46, 62a）開止觀為十。陰界入。煩惱。病患。業相。魔事。禪定。諸見。增上慢。二乘。菩薩。此十境通能覆障。陰在初者二義。現前。依經。大品云。聲聞人依四念處行道。菩薩初觀色乃至一切種智……。又行人受身誰不陰入。重擔現前是故初觀……此十種境始自凡夫正報終至聖人方便。陰入一境常自現前。若發不發恆得為觀。餘九境發可為觀。不發何所觀。（T46, 49a-c）

善觀五陰重擔之識陰，乃止觀諦觀現前一念心所觀之境，此之善巧安心法，智者大師於《摩訶止觀》中開示「善以止觀安於法性」，法性的成就須善發菩提心願，而修行止觀法門。所以，「法界洞朗，咸皆大明，名之為觀，止祇是智，智祇是止，不動智照於法性，即是觀智得安，亦是止安，不動於法性相應，即是止安，亦是觀安」（T46, 56c）。因為誓願行之善巧安心方便的輾轉迴向，能令行者滿菩提願。又如《釋禪波羅蜜》中，闡明「菩薩發心所為，正求菩提淨妙之法，必須簡擇真偽，善識祕要，若欲具足一切諸佛法藏，唯禪為最」（T46, 476a）所以，菩薩發菩提心之相，是四弘誓願成就，然而，菩薩要圓滿誓願則須修法華經者菩薩道，善巧安住深禪定，所以唯有禪定，方能滿菩提心願。〈普賢菩薩勸發品〉總結佛子、法師、菩薩行者成就四法得妙法蓮華經之祕要之藏，即是以四法（諸佛護念、植眾德本、入正定聚、發救一切眾生之心）為淨明鏡，為如來使的善護念，照徹五陰眾生的思言行，證生死齊平，菩提淨明鏡。

法華經者菩薩，所成就的四要法為：

一、「諸佛護念」：它的條件是，佛子、法師、菩薩須有身安樂行的經歷而開佛知見，所謂「護念」，即生命教育的過程中，「發菩提心」，這個菩薩心的大前題是，行五種法師、三軌法、四安樂行，法華經者必能為諸佛所護念。所以，諸佛護念是法華經者得法身德，亦即是生命中本有之心性，開拓生命心念中《妙法蓮華經》的祕藏，念念中時時觀照就已是善護念，所以修此諸佛護念法，須以〈法師品〉中的，以大慈悲為身安置之室，方證法身德也。這樣的普賢行持，他示現了如何行持成就四法，因之佛所說的經文是要開示眾生，如何化通經旨，如何如說修行祕要之藏，乃《妙法蓮華經》第二十八品結經重宣四法成就之意旨。

二、「植眾德本」：德本是功德善根之本，《妙法蓮華經》則以善根功德之積集為德本，由前之諸佛護念，畢竟得法身，仍須植眾德本，要植善法種子，培植菩薩萬行，必須披如來忍辱衣，才無罣礙、障礙，方能得無生法忍。所以法華經者，以〈妙法蓮華經．方便品〉之實相真如為德本，為眾善萬德之根本，此之眾善乃七佛通偈，「諸惡莫作，眾善奉行，自淨其意，是諸佛教」。因之，天台以般若為觀法，（能證之智）照明五陰眾生，而由觀一念心，開拓實相真如所證之理為善本、德本。是故〈方便品〉「諸佛兩足尊，知法無常性，佛種從緣起，是故說一乘，是法住法位，世間相常住，於道場知已，導師方便說」（T9, 9b）的宣說實為暢佛本懷之微妙法。

三、「入正定聚」：禪定止觀的工夫為菩薩度生的根本關懷，所以，妙意根的安樂行，才能讓法華行者入佛知見的同時以安坐如來法空座上（空為正定之樞要），《心經》所謂「照見五蘊皆空」，已然培植六度波羅蜜了，禪定是六度波羅蜜的行門。所以，須達坐法空座之妙智慧，則身著植眾德本的忍辱衣，方能持久度化眾生，因之，以照見一切法空，為正定正覺之念念止觀現前，為教化生命的著力點。

四、「發救一切眾生之心」：因禪定、心被忍辱衣善護之，法華經者以慈悲為度生之本，所以當須入如來大慈悲室，它是完成四安樂行的悟佛知見，在悟入佛知見的大前提上，要具足自覺、覺他、覺行圓滿的法身生命體。所以，已然入正定聚，坐法空座，則自己與眾生法，皆能照見為空，來發救一切眾生之心，誠然是殊勝之已發真正菩提心的如來使，證得生死齊平菩提淨明鏡。

故思惟修，如說修行的五種法師、四安樂行，都是行、住、坐、臥，精進修行所薰修的，它將如〈序品〉所云：「以慈修身，善入佛慧，通達大智，到於彼岸。」及〈方便品〉的「定慧力莊嚴，以此度眾生」例如：受持讀誦之受持的「持」的意味，乃接受了佛法，要憶持在心，就是歸向於三業、六根，與自己的生命同依存的當體，才可以說是受持佛法，發心奉持法藏，如說修行。如是之醒覺於生命當下的狀態，體認警悟之佛語，如說修行，必然能匯合〈如來壽量品〉中，久遠實成佛的隱喻，吾人身處於橫遍十方豎窮三際，那空無邊際的時空境地裏，去探索人類生存的真實義，實是如盲龜浮木般千載難逢。然而，在良醫治病的譬喻境地中，因佛的誓願與悲智，已經令法華經者，探尋出一條通往自性佛開顯的途徑，那是賦予生命究竟義、通達圓備的人生，之法華經者，心口相應法門現前，唯佛一人一念相應，窮照法界。方便品所謂「唯佛與佛，乃能究盡諸法實相」之慧命教育觀。

法華經者的話——上冊

看世界的方法 160

作者　釋悟觀
封面圖片　曉雲法師畫作（華梵大學文物館提供）
封面題簽、書名頁書法　李蕭錕
內頁畫作　李蕭錕
內頁攝影　釋悟觀（深水觀音禪寺提供）
　林煜幃（p.6、22、56、64、100、182）
內頁法語書法　許悔之

裝幀設計　吳佳璘
責任編輯　魏于婷

董事長　林明燕
副董事長　林良珀
藝術總監　黃寶萍
執行顧問　謝恩仁

社長　許悔之
總編輯　林煜幃
副總經理　李曙辛
主編　施彥如
美術編輯　吳佳璘
企劃編輯　魏于婷

策略顧問　黃惠美·郭旭原·郭思敏·郭孟君
顧問　施昇輝·林子敬·謝恩仁·林志隆
法律顧問　國際通商法律事務所／邵瓊慧律師

出版　有鹿文化事業有限公司
地址　台北市大安區濟南路三段28號7樓
電話　02-2772-7788
傳真　02-2711-2333
網址　www.uniqueroute.com
電子信箱　service@uniqueroute.com

製版印刷　鴻霖印刷傳媒股份有限公司

總經銷　紅螞蟻圖書有限公司
地址　台北市內湖區舊宗路二段121巷19號
電話　02-2795-3656
傳真　02-2795-4100
網址　www.e-redant.com

國家圖書館出版品預行編目(CIP)資料

法華經者的話 / 釋悟觀著
一初版. 一臺北市：有鹿文化, 2019.10
面；公分. 一(看世界的方法；160-162)
ISBN 978-986-98188-0-3(上冊：平裝)
ISBN 978-986-98188-1-0(下冊：平裝)
ISBN 978-986-98188-2-7(全套：平裝)
1. 法華部

221.5　108015081

ISBN：978-986-98188-0-3
初版：2019年10月

定價：380元